Kaninchen

glücklich & gesund

> Autorin und Fotografin: **Monika Wegler**

Inhalt

Wohlfühl-Heim

Freunde fürs Leben

Hannibal, meine Englische Schecke, hoppelt herbei und stupst mit der Nase an meinen Fuß. »Hallo, ich bin's! Hast du Zeit für mich?«, heißt das in der Kaninchensprache. Ich streichle ihn zärtlich

> *Wenn sich zwei verstehen, wie die beiden, ist das Kaninchenglück perfekt.*

hinter den Ohren. Das mag mein Hannibal ganz besonders gern. Genauso festigen auch die Kaninchen untereinander bei der gegenseitigen

Fellpflege die freundschaftlichen Beziehungen innerhalb ihrer Gruppe.

Kaninchen als Familienmitglieder

Seit 25 Jahren lebe ich mit Kaninchen zusammen. Sie haben mein Leben und das meiner Kinder geprägt. Ich möchte keinen einzigen Tag mit ihnen missen. Wir haben herzhaft über ihre Streiche gelacht und genauso geweint, wenn wir von einem Tierfreund Abschied nehmen mussten. Doch wer immer mit Kaninchen liebäugelt, sollte sich über eine ihrer großen Leidenschaften im Klaren sein: Sie graben, nagen

und markieren, wann und wo sich die Gelegenheit dazu bietet. Und schon ist der Perserteppich durchlöchert, Computerkabel gekappt oder Kotkügelchen liegen herum. Doch keine Sorge: Kaninchen sind viel intelligenter als man allgemein vermutet, lernfähig und können bis zu einem gewissen Grad durchaus erzogen werden (→ Seite 54). Wenn man ihre Ansprüche und Verhaltensweisen versteht und sie zu nehmen weiß, entdeckt man nämlich, wie aufgeweckt und gewitzt sie sind. Obwohl man nicht direkt mit ihnen spielen kann, bringen sie Spaß und Lebensfreude in die Familie.

TIPP

Was Kaninchen brauchen

➤ Kaninchen brauchen Höhlen und Verstecke, in denen sie sich geborgen fühlen.

➤ Heu und frisches Grün schützen vor Verdauungs- und Zahnproblemen.

➤ Kaninchen sind gesellig und bewegungsfreudig. Das Zusammenleben mit einem Artgenossen und viel Freilauf machen sie glücklich.

➤ Kaninchen wollen nagen und graben. Zweige, Hölzer und die Buddelkiste gehören zur Grundausstattung.

Viel mehr als kleine Schmusetiere

Immer mehr Briefe, die ich von den Lesern meiner Bücher erhalte, bestätigen eine erfreuliche Entwicklung: Das Verständnis für die Kaninchen und ihre Bedürfnisse wächst. Eine wachsende Zahl von Kaninchenhaltern kümmert sich mit viel Sachverstand um die artgerechte Unterbringung und investiert Zeit, Geduld und Liebe in die Pflege und Beschäftigung ihrer Tiere.

Vor allem junge Kaninchen sind einfach süß, richtige Schmusetierchen mit superweichem Fell und großen Knopfaugen, die man immerzu streicheln möchte. Damit treffen die »Streicheltiere« genau ins Herz der Kinder. Doch die vermeintlichen Osterhasen werden bald größer und können empfindlich kratzen und beißen, wenn man sie falsch behandelt. Schnell fließen dann die Tränen, die Eltern sind frustriert und die »bösen« Kaninchen werden nicht selten ins Tierheim abgeschoben. Endstation für jährlich Tausende der etwa 1,4 Millionen Kaninchen in deutschen Haushalten.

> *Eine zärtliche Berührung an der Wange bedeutet: Hallo, hier bin ich.*

Liebevolles Begleiten

Tierliebende Eltern wissen um die Verantwortung, die sie mit dem Kauf eines Tieres übernehmen. Sie geben ihren Kindern ein gutes Beispiel, indem sie selbst dem neuen Familienmitglied mit Liebe und Respekt begegnen. Sie nehmen sich Zeit, ihren Kindern zu erklären, wie ein Kaninchen seine Welt wahrnimmt. Nur dadurch werden Verständigungsprobleme zwischen den eher zurückhaltenden Kaninchen und den temperamentvollen Kindern von Anfang an vermieden.

CHECKLISTE

Eigne ich mich zum Kaninchenhalter?

Darauf sollten Anfänger gleich zu Beginn achten:

Leise Töne
✓ Kaninchen sind Fluchttiere. Lärm und hektische Bewegungen erschrecken sie. Immer nur behutsam nähern und leise ansprechen.

Geduldige Erziehung
✓ Kaninchen sind reviertreue Gewohnheitstiere. Sie sind durchaus lernfähig, verkraften aber nicht zu viel Neues auf einmal.

Nachsicht und Verständnis
✓ Kaninchen wollen nagen, graben und scharren und nicht alle Tiere werden zuverlässig stubenrein.

Kleiner Ausflug in die Geschichte

Alle Hauskaninchen – ob Rassenzwerge mit kaum mehr als einem Kilogramm Lebendgewicht oder Deutsche Riesen mit stolzen acht – stammen vom Europäischen Wildkaninchen ab. Das ist ursprünglich im kargen Buschland Südwesteuropas

> Aus einer Familie, man glaubt es kaum: Riesenkaninchen und Zwerg.

zu Hause. Um hier zu überleben und mit dem dürftigen Nahrungsangebot zurechtzukommen, mussten die Kaninchen ein spezielles Verdau-

ungssystem entwickeln. Dazu gehört auch die für alle Hasen und Kaninchen typische »Doppelverdauung«: Neben ihrem normalen festen Kot erzeugen die Tiere weiche, sehr vitaminreiche Kügelchen, die sie meist gleich vom After weg erneut aufnehmen. (→ Seite 46). Dieser so genannte Blinddarmkot ist lebensnotwendig und ermöglicht dadurch das Überleben in dieser nährstoffarmen Umgebung.

Nutztiere unserer Vorfahren: Als phönizische Seefahrer vor etwa 3000 Jahren die kleinen grauen Wildkaninchen auf der Iberischen Halbinsel entdeckten, fanden sie bald heraus wie schmackhaft ihr Fleisch ist. Sie verwechselten allerdings die Kaninchen mit den Klippschliefern ihrer syrischen Heimat und nannten das Land »i-shepan-im«, »Insel der Klippschliefer«. Die Römer übernahmen die fälschliche Bezeichnung in ihre Sprache und gaben der Iberischen Halbinsel den heute noch gültigen Namen Hispania. Zur willkommenen Bereicherung ihres Speisezettels hielten sie die halbwilden Kaninchen in ummauerten Gärten, den Leporarien. Im

Mittelalter erklärten Klostermönche das schmackhafte Kaninchenfleisch kurzerhand zur fleischlosen Kost, um es auch während der Fastenzeit verzehren zu dürfen.

Haustierwerdung und Zucht. Zahmer und zutraulicher wurden die Kaninchen allerdings erst, als man begann sie in Ställen zu halten. Dies brachte aber auch Veränderungen der Kaninchen mit sich. Sie wurden beispielsweise wesentlich größer und schwerer als ihre wilden Verwandten, die Wildkaninchen. Durch immer gezieltere Zucht entstand etwa das Angorakaninchen, welches uns die wunderbare Wolle liefert. Nach und nach entstanden so über 400 Rassekaninchen in unterschiedlichster Statur, Gewicht, Haarlänge und Farbenvielfalt.

Später Siegeszug zum Heimtier. Doch erst in den 50er Jahren gelang es den bis dahin in Ställen gehaltenen Kaninchen, die Herzen der Menschen zu erobern und als Heimtiere Einzug in unsere Wohnungen zu halten. Nach Hund und Katze stehen Kaninchen heute an dritter Stelle der Beliebtheitsskala, leider auch in Tierheimen!

Kaninchenrassen auf einen Blick

Normalhaar

Große Rassen:

Riesen, grau und weiß	5,50 – 7 kg	→ Foto, S. 8
Riesenschecken	5 – 6 kg	
Widder	4,50 – 5,50 kg	

Mittelgroße Rassen:

Großsilber	3,25 – 5,25 kg	
Rote Neuseeländer	3 – 5 kg	
Hasenkaninchen	2,50 – 4,25 kg	→ Foto, S. 10
Thüringer	2,50 – 4,25 kg	

Kleine Rassen:

Sachsengold	2,25 – 3,50 kg	→ Foto, S. 11
Kleinchinchilla	2,25 – 3,25 kg	→ Foto, S. 10
Deilenaar	2,25 – 3,25 kg	→ Foto, S. 11
Kleinsilber	2 – 3,25 kg	→ Foto, S. 11
Englische Schecke	2 – 3,25 kg	→ Foto, S. 35
Holländer	2 – 3,25 kg	
Lohkaninchen	2 – 3,25 kg	→ Foto, S. 11
Siamesen	2 – 3,25 kg	

Zwergrassen:

Widderzwerge	1 – 2 kg	→ Foto, S. 18
Hermelin	1 – 1,50 kg	
Farbenzwerge	1 – 1,50 kg	→ Foto, S. 22

Haarstruktur-Rassen

Kurzhaar:

Rex	2,50 – 4,50 kg
Rex Zwerge	1 – 1,50 kg

Langhaar:

Angora	2,50 – 5,25 kg	→ Foto, S. 11
Fuchskaninchen	2,50 – 4 kg	
Jamora	1,50 – 2,50 kg	
Fuchs Zwerge	1 – 1,50 kg	

Satin:

Satin	2,50 – 4 kg	→ Foto, S. 12
Satin Zwerge	1 – 1,50 kg	

Es gibt zur Zeit 72 anerkannte Kaninchenrassen, die in unterschiedlichsten Farben und Felllängen gezüchtet werden. Alles in allem sind dies über 400 unterschiedliche Rassekaninchen. Die Tabelle ist nach Körpergewicht und Haarstruktur gegliedert und führt die Mindest- und Höchstgewichte auf. In allen Gewichtsklassen gibt es neben Kaninchen mit normalen Stehohren auch solche mit Hängeohren. Diese Rassen nennt man Widderkaninchen.

Normalhaar: Das Haarkleid ähnelt in Länge und Aufbau dem des Wildkaninchens. Das Fell ist dicht und liegt glatt an. Es besteht aus Unterwolle, leicht überragendem Deckhaar und längeren, 30 bis 40 mm langen Grannenhaaren. Dieses Fell besitzen die meisten Kaninchen.

Langhaar: Angora mit flauschig gewelltem Wollvlies, mindestens 60 mm lang. Fuchs mit seidig glattem Fell, 50 bis 60 mm lang. Jamora mit flauschigem Fell, fester als Angora, 40 bis 60 mm lang.

Kurzhaar: Die Haare stehen senkrecht ab, Deck- und Grannenhaare sind gleich lang (16–20 mm). Das Fell sieht plüschartig aus und fühlt sich wie Samt an.

Satin: Kennzeichnend ist das dichte, weiche Fell, die verdünnte Haarstruktur und der satinähnliche Glanz, Haarlänge 25 bis 30 mm.

Kaninchen
im Porträt

In der Fellfarbe und Fellzeichnung, in Struktur und Länge der Haare, aber auch in Körperbau und -größe zeigen die Zuchtrassen des Kaninchens eine erstaunliche Vielfalt.

> **Kleinchinchilla (Kleine Rasse).** Häsin mit ihrem sechs Wochen alten Jungen, das sich eng an die Mama kuschelt. Diese Rasse hat ihren Namen vom Chinchilla, einem Nagetier aus Südamerika, dessen Fell ähnlich gezeichnet ist.

> **Hasen-Kaninchen, rotbraun (Mittelgroße Rasse).** Auch wenn dieses elegante Kaninchen mit dem Hasen namensverwandt und ähnlich gebaut ist, ist es ein »echtes« Kaninchen.

Lohkaninchen, Blauloh (Kleine Rasse). Weitere Farbschläge sind Schwarz-, Braunloh. Loh ist die stets bräunliche Rumpfzeichnung.

Sachsengold (Kleine Rasse). Ein kompaktes, eher gedrungenes Kaninchen mit intensiv rotgelber Deckfarbe.

Kleinsilber, schwarz (Kleine Rasse). Weitere Farben: Blau, Gelb, Braun, Hell, Havanna als Unterfarbe; die Deckhaare an den Spitzen silbrig-weiß.

Deilenaar (Kleine Rasse). Kaninchen mit einer rotbraunen Deckfarbe, schwarzer Schattierung durch die Grannenhaare, unten lohfarbig.

Angorakaninchen (Langhaar-Rasse). Häsin mit Kleinem, fünf Wochen alt. Diese Rasse liefert uns Menschen die wertvolle Angora-Wolle.

Augen auf beim Kauf

In den ersten Lebensmonaten machen Tiere wichtige Erfahrungen, die ihr weiteres Leben entscheidend prägen. Jetzt wird auch die Basis für die harmonische Beziehung zum Menschen gelegt. Was in

> *Wesenstest bestanden: Dieses junge Satin-Kaninchen zeigt keine Angst.*

dieser Entwicklungsphase versäumt wird, lässt sich später nur schwer korrigieren. Anders als etwa bei Hunden werden diese Zusammen-

hänge bei den Kaninchen leider auch heute noch viel zu wenig berücksichtigt.

Ein Partner zum Glück

Die Wildkaninchen in freier Natur leben gesellig in Kolonien. In der Gruppe wird ein sehr intensives Miteinander gepflegt, dabei gibt es gleichzeitig jedoch strenge Regeln bezüglich Rangordnung und Revier. Um wirklich glücklich zu sein, braucht daher auch Ihr Kaninchen einen Artgenossen. Doch der Lebenspartner muss passen und das gegenseitige Kennenlernen richtig begleitet werden. Viele Menschen behaupten, dass Kaninchen Einzelgänger sind,

weil sie sich nicht untereinander vertragen. Das ist eine völlig falsche Schlussfolgerung, die nur darauf zurückzuführen ist, weil hier in der wichtigen Eingewöhnungsphase der Tiere menschliche Fehler begangen worden sind (→ Seite 29).

Gesund und munter

Kaufen Sie kein Tier aus Beständen, in denen andere Kaninchen Krankheitssymptome zeigen. Achten Sie auf ein glänzendes, dicht anliegendes Fell ohne Kahlstellen. Die Augen müssen klar sein, die Ohren sind frei von Belägen und Krusten, die Nase ist trocken, der After sauber.

TIPP

So prüfen Sie das Wesen des Kaninchens

➤ Beide Elterntiere sind zutraulich und verhalten sich dem Menschen gegenüber weder aggressiv noch ängstlich.

➤ Das Jungtier ist an die Geräusche in seiner Umgebung gewöhnt und lässt sich ohne Scheu anfassen.

➤ Die Gewöhnung an Kinder und an andere Heimtiere klappt schneller, wenn ein junges Kaninchen bereits in einer entsprechenden Umgebung aufgewachsen ist.

➤ Wenn Sie die Hand in den Käfig halten, sollte das junge Kaninchen sie neugierig beschnuppern und nicht davor fliehen.

Wer passt zu wem?

Jungtiere bis zum Alter von drei Monaten, besonders aber Wurfgeschwister, können von Anfang an in einen gemeinsamen Käfig zusammengesetzt werden. Kaufen Sie keine Kaninchen, die jünger als sechs Wochen sind! Das ist Tierquälerei. Der Stress des Ortswechsels, die Trennung von den Geschwistern und die verfrühte Umstellung auf feste Nahrung machen die Kleinen anfällig für Krankheiten. Ältere Kaninchen, die sich fremd sind, müssen erst aneinander gewöhnt werden (→ Seite 29).

Häsin und Bock: Die beiden verstehen sich gut. Doch Vorsicht, Kaninchen sind nicht umsonst in vielen Kulturen das Symbol der Fruchtbarkeit. Sie sind es auch und dies schon sehr frühzeitig. Daher sollte der Kaninchenmann bereits mit etwa drei Monaten kastriert werden. Vereinbaren Sie rechtzeitig einen Termin mit Ihrem Tierarzt.

Zwei Männchen: Wenn sie als Jungtiere aneinander gewöhnt und frühzeitig kastriert werden, verläuft die Beziehung meist harmonisch. Potente Rammler allerdings kann man nicht gemeinsam

> *Eine vertraute Kaninchen-Gruppe beim Versteck-Spiel in Kartons.*

halten, da sie heftige und ernste Revier- und Rangordnungskämpfe austragen.

Zwei Häsinnen: Solange sie nicht brünstig sind, kommen Häsinnen, die sich kennen, gut miteinander aus. Bei Attacken während der Brunstzeit muss man die beiden zeitweise trennen oder eventuell kastrieren lassen. Leider ist die Kastration bei der Häsin risikoreicher und sollte nur von einem Kleintierveterinär mit entsprechender Erfahrung vorgenommen werden.

CHECKLISTE

Wo kaufe ich meine Kaninchen?

Zoofachhandel
✔ Meist werden hier Zwerge und Zwergmischlinge angeboten.

Private Kleinanzeige
✔ Von Vorteil, wenn die Tiere gut sozialisiert, mit Kindern und anderen Heimtieren aufgewachsen sind.

Tierheim
✔ Eine gute Alternative, wenn Sie hier zwei Tiere entdecken, die sich schon kennen und verstehen.

Züchter
✔ Bei Züchtern finden Sie alle Rassen (→ Adressen im Anhang; auch über Verein oder Zuchtschau).

13

Die Wohlfühl-Ausstattung

Kaninchen wollen sich in ihrem Zuhause sicher und geborgen fühlen, haben aber zugleich einen enormen Bewegungsdrang, den nur ein ausreichender Freilauf befriedigen kann. Größere Wohnungen lassen sich kaum völlig kaninchensicher einrichten

> Eine Heuraufe gehört zur Grundausstattung und sollte immer gefüllt sein.

und nicht jeder besitzt einen Garten, um dort ein Freigehege unterzubringen. Diese Möglichkeiten werden beiden – Mensch und Tier – gerecht:

➤ Die Kaninchen haben ihr eigenes Zimmer, in dem sie sich uneingeschränkt bewegen können. Das ist gewissermaßen die Luxusvariante.
➤ Ein Teil des Zimmers wird abgetrennt und dient als Auslaufgehege. Zwei bis drei Kaninchen brauchen etwa sechs Quadratmeter.
➤ Die Käfigumgebung ist kaninchensicher. So erhalten die Tiere viel Freilauf und müssen nur zeitweise eingesperrt werden. Dafür reicht dann ein kleinerer Käfig.
➤ Freilauf kann nur für begrenzte Zeit gestattet werden. Hier muss man den Kaninchen unbedingt einen Großraumkäfig anbieten.

Der richtige Käfig

Zimmerkäfige aus dem Zoofachhandel bestehen aus einer Kunststoffschale und dem abnehmbaren Gitteroberteil.
➤ Kaufen Sie keinen Käfig mit Kunststoffhaube: Hier kommt es zum Hitzestau, Harngeruch zieht nur unzureichend ab und die Bewohner können unter Sauerstoffmangel leiden.
➤ Die empfohlene Käfiggrundfläche für zwei Kaninchen kleiner bis mittelgroßer Rassen: 1,40 bis 1,60 cm Länge bei 80 cm Breite.
➤ Wählen Sie ein hohes Gitteroberteil. Achten Sie darauf, dass die Kaninchen auf ihrem Häuschen und den Sitzbret-

TIPP

Hier muss der Käfig stehen

➤ Der Zimmerkäfig muss an einem ruhigen Ort stehen. Zu viel Lärm macht Kaninchen scheu und ängstlich.
➤ Käfig niemals praller Sonne aussetzen und im Winter nicht in der Nähe von Heizkörpern aufstellen. Kaninchen bekommen leicht einen Hitzschlag.
➤ Bei einer Umgebungstemperatur zwischen 12 und 22 Grad fühlen sich Kaninchen am wohlsten. Luftig und hell muss es sein, aber nie zugig.
➤ Auf kalten Steinfußböden sollte immer eine Isoliermatte unter die Bodenschale gelegt werden.

> Ein Großraumkäfig (156 x 77 x 61 cm) mit der beschriebenen Einrichtung bietet Platz genug für eine kleine und mittelgroße Rasse (hier noch Jungtiere). Praktisch: zwei Klappen vorne und oben.

tern genügend Platz haben. An waagerecht verlaufenden Gitterstäben können sie sich strecken und abstützen. Da einige Tiere am Gitter nagen, wählt man am besten verzinkte Oberteile oder man lässt sich vom Fachhändler die Unschädlichkeit der Farbe garantieren. Bei Großraumkäfigen erlauben zwei Klapptüren an der Front den Tieren das ungehinderte Passieren. Zwei Klappen im Dach des Käfigs erleichtern Ihnen das Hantieren und das Herausnehmen der Kaninchen.

➤ Die Unterschale sollte etwa 25 cm tief sein, da größere Kaninchen sonst die Einstreu ins Zimmer scharren.
➤ Für gute Aussicht sorgen Häuschen und Sitzbretter.

Perfekt eingerichtet

Futter- und Wassergefäße gehören zur Basisausstattung jedes Kaninchenkäfigs und dürfen nie fehlen. Andere Einrichtungsgegenstände dienen der Beschäftigung und sind für das Wohlbefinden der Käfigbewohner unerlässlich. Das Zubehörsortiment des Zoofachhandels wird allen Ansprüchen gerecht.

Futternäpfe: Geeignet sind Schüsseln aus Keramik oder Steingut. Plastiknäpfe kippen leicht um und werden benagt. Dreieckige Schalen kann man platzsparend in die Käfigecke stellen. Jedes Kaninchen hat seinen eigenen Napf. Stellen Sie die Näpfe an unterschiedlichen Plätzen im Käfig auf.

Nippeltränke: Handelsübliche Nippeltränken haben ein Fassungsvermögen von 450 ml. Vorteil: Das Trinkwasser bleibt sauber. Manche

Tiere trinken jedoch lieber aus Steingutnäpfen. Hier können sie ihren Durst schneller löschen und die natürliche Kopfhaltung erleichtert das Schlucken. Stellen Sie den Napf auf einen etwa 8 cm hohen Stein (z. B. Ytong). Dann wird das Trinkwasser nicht so leicht von der Einstreu verschmutzt.

Heuraufe: Für das tägliche Heu empfiehlt sich eine Raufe, die von innen oder außen ans Käfiggitter gehängt werden kann.

> Nicht jedes Kaninchen überspringt diese Schalenhöhe (→ Seite 17).

Toilettenschale: Die Schale besteht aus Kunststoff und ist mit Strohpellets gefüllt. Beobachten Sie, dass Ihr Tier diese benagt, muss die Toilette sofort entfernt werden.

Einstreu: Als Einstreu sollten Sie Weichholzspäne bevorzugen, da sie den Harn gut aufsaugen. Darüber kommt eine dicke Strohschicht. Katzenstreu und Torfmischungen sind als Einstreu ungeeignet.

Häuschen: Ein oder zwei Holzhäuschen mit Flachdach gehören zur Grundausstattung des Käfigs. Kaninchen sind Höhlenbewohner und brauchen Unterschlupfmöglichkeiten. Achten Sie beim Kauf des Häuschens darauf, dass es auch größeren Kaninchen genügend Platz bietet. Mit etwas handwerklichem Geschick können Sie ein Häuschen aus Sperrholz auch selbst bauen und mit Ästen verzieren (→ Foto, Seite 4/5). Wichtig sind dabei das Einschlupfloch und ein Flachdach als Aussichtsplatz. Berücksichtigen Sie bei der Grundfläche, dass die Tiere sich gerne ausstrecken.

Sitzbretter: Die Sitzbretter über Eck oder an den Längsseiten in die Gitterstäbe einhängen (→ Foto, Seite 15).

CHECKLISTE

Alles kaninchensicher?

Knabberstopp

✔ Kabel in Kabelrohren verlegen oder hoch legen. Wertvolle Teppiche und Möbel möglichst in andere Räume bringen. Alles vom Boden entfernen, was angeknabbert werden kann: Zeitungen, CDs, Schuhe, Bücher und vieles mehr. Das gilt auch für die Pflanzenkübel.

Rutschgefahr

✔ Kaninchen haben auf glatten Böden nicht genügend Halt. Sisal, Kokos oder eine Reisstrohmatte sind ideale Laufflächen, ein alter Teppich tut es aber auch.

Sturzgefahr

✔ Erklären Sie vor allem Kindern, dass Kaninchen wegen der Absturzgefahr nicht auf den Tisch gehören. Versperren Sie während des Freilaufs der Tiere Treppen und offene Treppengeländer.

Augen auf!

✔ Türen langsam öffnen und schließen und sich immer vergewissern, ob ein Kaninchen in der Nähe ist. Die Tiere springen gerne auch auf Sofas und kuscheln sich unter die Kissen: Vorsicht daher beim Hinsetzen.

Kontrolle ist besser

✔ Hund und Katze nur unter Aufsicht gemeinsam mit Kaninchen frei laufen lassen.

1 Wer bist denn du?

Meine einjährige Englische Schecke, Hannibal, hat Besuch bekommen. Dieser sieben Wochen alte Zwerg wird einer Analkontrolle unterzogen. Doch ehe Hannibal sich versieht, ist der Kleine blitzschnell unterm Sessel verschwunden. Gut, dass es hier während des gemeinsamen Auslaufs so viele Versteckmöglichkeiten gibt.

2 Ich mag dich!

Nach langem Versteckspielen und Hinterherhoppeln unter dem Sofa, zwischen Kartons, hinter der Kommode und in der Buddelkiste, legen beide eine Pause ein. Nase an Nase wird gekuschelt. So viel Spaß beim Auslauf haben nur Kaninchen in einer Umgebung, die ihre Sinne anregt und wo sie sich zugleich geborgen fühlen.

Die Kaninchen lieben diese Aussichtsplätze und nagen mit Begeisterung am Holz. **Ein- und Ausstiegshilfe:** Bei einer Schalenhöhe von 30 cm helfen Steine oder Holzstege (→ Fotos, Seite 15 und 16).

Auslauf mit Spaß

Auch ein geräumiger Stall oder Käfig kann Kaninchen die tägliche Bewegung nicht ersetzen. Beginnen Sie damit, sobald sich die Tiere eingelebt haben und ohne Scheu herbeikommen. Anfangs nur die Käfigtür öffnen und abwarten. Die Tiere entscheiden selbst, wann sie ihren Käfig verlassen. Das sind die wichtigsten Punkte beim Freilauf:

➤ Kaninchen sind Fluchttiere, die freie Flächen ohne Versteckmöglichkeiten in der Regel meiden. Platzieren Sie Pappkartons, in die vorher Schlupflöcher geschnitten wurden, an verschiedenen Stellen im Zimmer. Die Kartonoberseite muss stabil sein und darf nicht einbrechen, wenn ein Kaninchen darauf hoppelt. Auch ein über Stuhl oder Hocker gehängtes Tuch ergibt ein wunderbares Kaninchenversteck.

➤ Kaninchen wollen graben. Eine Buddelkiste ist daher Pflicht (→ Foto, Seite 42).

➤ Legen Sie einen Holzstamm mit Rinde, frische Zweige mit Knospen oder Blättern und Holzspielzeug ins Zimmer. Die Tiere befriedigen so ihr Nagebedürfnis .

➤ Petersilie oder Löwenzahn mit Kordel zwischen zwei Stühlen aufhängen. Das sorgt für Fitness, weil sich Ihre Kaninchen kräftig danach strecken müssen.

➤ Die bis in den Käfig gelegte Leckerbissenspur verführt zur Rückkehr nach dem Auslauf.

Fragen rund um
Kauf und Haltung

Obwohl der Käfig ständig offen steht, hockt mein Kaninchen nur im Stall. Nehme ich es heraus, verschwindet es unter dem Sessel. Ist das normal?
Sicher nicht. Aber für Ihr Kaninchen ist es eine durchaus natürliche Verhaltensweise, mit der es auf eine Umgebung reagiert, in der es sich offensichtlich nicht geborgen und sicher fühlt. So können Sie dafür sorgen, dass es sich wohler fühlt: In Käfignähe unbedingt ruhig verhalten, kein Lärmen, keine laute Musik, kein hektisches Herumlaufen. Und locken Sie Ihr Kaninchen lieber mit einem Leckerbissen aus dem Käfig, statt es gegen seinen Willen herauszunehmen. Verteilen Sie leckere Überraschungen, zum Beispiel Löwenzahnblätter, an verschiedenen Stellen im Zimmer. Pappkartons mit Schlupflöchern oder die über den Stuhl gehängte Decke sind wunderbare Verstecke. Ein paar Zweige, Hölzer und Wurzelstöcke zum Knabbern sollten Sie ebenfalls im Zimmer verteilen. Und denken Sie auch einmal über einen Artgenossen für Ihr Kaninchen nach: Zu zweit macht der Auslauf viel mehr Spaß.

Mein Zoofachhändler hat mir ein Meerschweinchen als Partner für mein Zwergkaninchen angeboten. Ist das sinnvoll?
Im Prinzip Nein! Auch wenn sie beide Gesellschaft lieben, sind Kaninchen und Meerschweinchen im Verhalten zu verschieden. Das kann zu Missverständnissen und sogar zu Streit führen, wobei das Meerschweinchen dabei den Kürzeren zieht. Besser ist es, wenn Sie dem Kaninchen von Anfang an einen Artgenossen gönnen.

Man hört häufig, dass das Geschlecht junger Kaninchen falsch bestimmt wird. Wie gehe ich sicher?
Es ist tatsächlich so: Nicht selten überraschen angeblich gleichgeschlechtliche Kaninchen ihre ahnungslosen Halter später »auf wundersame Art und Weise« mit unge-

Deilenaar und Widderzwerg. Hier im Alter von einem Jahr und sieben Wochen.

wolltem Nachwuchs. Daher sollte man das Geschlecht zweimal prüfen lassen. Zum Beispiel vom Zoofachhändler und vom Tierarzt oder einem erfahrenen Züchter. Wer es selbst kontrollieren will: Im Sitzen das Kaninchen mit einer Hand am Nackenfell packen, Bauchseite nach oben drehen und das Tier auf den Schoß legen. Dann mit Daumen und Zeigefinger den Analbereich sanft auseinander ziehen. Die punktförmige Afteröffnung liegt bei beiden Geschlechtern vor der Schwanzwurzel, davor zum Bauch hin die Geschlechtsöffnung. Beim Männchen ist sie ebenfalls punktförmig. Wenn Sie mit dem Finger auf den Bauch drücken, tritt der Penis hervor. Bei der Häsin erkennt man die schlitzförmige Geschlechtsöffnung.

Wegen Zeitmangel will meine Nachbarin ihre beiden Kaninchen ins Tierheim geben. Sie sind drei Jahre alt. Könnten sie sich bei mir eingewöhnen?
Ein Glück für die Kaninchen, wenn sie gleich ein liebevolles neues Zuhause finden. Das Alter stellt kein Problem dar. Kaninchen werden zehn Jahre

und älter. Sie haben mit den beiden also noch eine lange und schöne Zeit vor sich. Erkundigen Sie sich nach ihren Gewohnheiten und übernehmen Sie das vertraute Zubehör. Dann klappt die Umstellung ganz bestimmt.

Meine Tochter will unbedingt ein Zwergkaninchen, ich lieber ein größeres. Wozu raten Sie uns?
Zwerge sind klein und niedlich, aber häufig auch leicht nervös und scheu. Alle Widder, also Kaninchen mit Hängeohren, zeigen dagegen bessere Nervenstärke und sind von ruhigerem Temperament. Von größeren Rassen sagt man allgemein, dass sie ebenfalls ausgeglichener sind. Am besten, Sie beide suchen sich jeder Ihr Traumkaninchen aus und setzen diese als Jungtiere von Anfang an zusammen in den geräumigen Zimmerkäfig. Dann sind Sie und Ihre Tocher zufrieden, und die Kaninchen leben zu zweit ebenfalls glücklicher. Ideale Kombination → Foto links: Widderzwerg zusammen mit einer Kleinrasse (Deilenaar).

Monika Wegler

MEINE TIPPS FÜR SIE

Das A und O der Käfigausstattung

➤ Der Kaninchenkäfig muss geräumig sein. Wenn Sie keinen Großraumkäfig wollen, kann man auch zwei kleinere miteinander verbinden. Vorteil: Bei Streitereien können Sie die Tiere leichter getrennt voneinander halten.

➤ Ein Holzbrett, das in Brusthöhe der Kaninchen auf einem stabilen Bodenbrett befestigt wird, trennt den Innenraum des Käfigs und zwingt die Bewohner zum Springen. Das sorgt ganz automatisch für Fitness.

➤ Kaninchen lieben Aussichtsplätze. Sitzbretter und Häuschen mit Flachdach tragen sehr zu ihrem Wohlbefinden bei (→ Foto, Seite 15).

➤ Hängen Sie Zweige zum Knabbern ins Gitterdach. Die Tiere müssen sich danach strecken. Das garantiert Abwechslung, regt die Sinne an und trainiert die Muskulatur.

19

Kennenlern-Programm

Sanfter Weg zum neuen Glück

Den Alltag hinter sich lassen, dem Gewohnten entfliehen, fremde Länder kennen lernen – davon träumen viele von uns. Für ein Kaninchen dagegen bedeutet der Wechsel aus seiner gewohnten Umgebung und weg von vertrauten Artgenossen einen furchtbaren Stress. Als Fluchttier ist es darauf angewiesen, alles in seinem Revier genauestens zu kennen, um beim Auftauchen eines Feindes in Bruchteilen von Sekunden in Deckung zu flüchten. Kommt das Kaninchen nun zu Ihnen nach Hause, reagiert es anfangs unsicher und ängstlich – ein durchaus normales Verhalten. Zeigen Sie jetzt viel Geduld und begleiten Sie das Tier mit Liebe und Verständnis, dann wird es sich bald in seinem neuen Heim wohl und geborgen fühlen.

Sicher nach Hause

Nur mit einer Transportbox gehen Sie beim Abholen Ihres neuen Kaninchens auf Nummer Sicher. Offene Einkaufskörbe oder Pappkartons sind für die sprungkräftigen Tiere völlig ungeeignet. Der Zoofachhandel bietet stabile und leicht zu reinigende Kunststoffboxen an. Diese geschlossenen Boxen, die meist vorne und oben Gittertürchen haben, vermitteln den Kaninchen ein Gefühl der Geborgenheit. Kaufen Sie bitte keine zu kleine Box: Junge Kaninchen wachsen noch und der Transportbehälter soll ja auch später noch für die Besuche beim Tierarzt und für andere Fahrten verwendet werden. Kaninchen leben in einer Geruchswelt: Der Duft der vertrauten Einstreu in der Box erleichtert die Umstellung und Eingewöhnung. Das Gleiche gilt auch für die anfängliche Fütterung: Am besten nehmen Sie vom gewohnten Futter genug mit, um fütterungsbedingte Umstellungsprobleme zu vermeiden.

> *Der junge Siamzwerg versucht mit dieser Geste vom älteren Bock Zuwendung zu bekommen, dieser zeigt wenig Interesse.*

Behutsam eingewöhnen

Setzen Sie Ihre neuen Familienmitglieder direkt nach der Ankunft in den bereits vollständig ausgestatteten Käfig und lassen Sie die Tiere zuerst einmal in Ruhe. Beobachten ist erlaubt, aber in der sensiblen Eingewöhnungsphase nicht hochnehmen oder herumtragen! Wenn Sie im Käfig hantieren müssen, bitte immer erst »vorstellen«: Nähern Sie sich langsam, gehen in die Knie und sprechen Sie das Kaninchen freundlich an. Stets zuerst von vorne durch die Gittertür in den Käfig greifen, bevor die obere Luke geöffnet wird. Bei zu viel Hektik und Lärm versuchen die noch unsicheren Tiere ansonsten die Flucht zu ergreifen und ins Häuschen zu fliehen. Erzwingen kann man ihre Zuneigung nicht. Üben Sie sich in Geduld, bis sich die Berührungsängste gelegt haben und sie aus eigenem Antrieb Ihre Nähe suchen. Es dauert bestimmt nicht lange und Ihre Kaninchen recken sich zur Begrüßung am Käfiggitter hoch, nehmen Leckerbissen aus der Hand und lassen sich Nasenrücken und Stirn streicheln und hinter den Ohren kraulen.

Sich vorstellen

Nie ein Kaninchen ohne Vorbereitung wie ein Raubvogel von oben aus dem Käfig herausgreifen! Immer erst in Sichthöhe langsam die leicht geschlossene Hand zum Schnuppern hinhalten und kurz warten.

Körperkontakt

Nun die Hand behutsam über den Rücken legen, ein paar Mal streicheln und dabei ruhig mit dem Tier sprechen. Dadurch wird diese Berührung stets als angenehm empfunden und das Kaninchen aufs Hochnehmen vorbereitet. Jetzt die obere Käfigklappe öffnen.

Richtig Hochnehmen

Mit der rechten Hand das lose Fell zwischen den Schulterblättern greifen und nicht mit einzelnen Fingern in die Haut zwicken. Beim Hochnehmen mit der linken Hand unverzüglich Hinterteil und Beine abstützen, um das Tier vom Eigengewicht zu entlasten und zu sichern.

Sicheres Tragen

Zum Tragen das Kaninchen auf den linken, angewinkelten Unterarm setzen. Damit es nicht plötzlich herunterspringt, bleibt die rechte Hand auf dem Rücken des Tieres liegen. Besonders zappelige Kaninchen drücken ihren Kopf dabei gerne in die Achselhöhle.

Kaninchen und Kinder

Kinder haben Kaninchen zum Knuddeln gern. Ihre Lieblinge sollen überall dabei sein, sie werden im ganzen Haus herumgetragen und natürlich voller Stolz den Freunden vorgeführt. Viele Eltern finden das in Ordnung, weil sie irrtümlicherweise Kaninchen für die idea-

Für jüngere Kinder ist der ruhigere Widderzwerg gut geeignet.

len Streichel- und Schmusetiere halten. Doch die eher stillen, furchtsamen Tiere und die lauten, lebhaften Kinder haben miteinander Ver-

ständigungsprobleme. Kaninchen haben als Flucht- und Beutetiere eine eher unauffällige Körper- und Lautsprache entwickelt. Das ist auch gut so, denn würden die Tiere »herumlärmen«, müssten sie es unweigerlich mit dem eigenen Leben bezahlen. Doch genau diese »Kaninchensprache« erfordert ein geduldiges Hinschauen und einen Umgang, der allen Kindern besonders schwerfällt: Lassen können, schauen und warten. Vor allem für Kinder bis zum 7. Lebensjahr sind Katzen geeignetere Spielpartner. Ab Schulalter können Kinder mit den Ansprüchen der Kaninchen besser vertraut gemacht werden und Verantwortung für sie übernehmen. Entführen Sie als Eltern Ihre Kinder immer wieder in die aufregende, andersartige Welt der Kaninchen und erklären Sie ihnen deren besondere Verhaltensweisen. Kinder darf man nicht aus ihrer Verantwortung entlassen. Bleiben Sie liebevoll, aber unbedingt konsequent. Ich habe als Mutter immer wieder nachgeschaut, ob sie Pflichten, wie Füttern, Futterholen, Laufen lassen und Käfig reinigen, auch nachgekommen sind.

Kaninchen und andere Heimtiere

In vielen Haushalten leben zwei oder mehr Tierarten zusammen. Das kann reizvoll sein, doch sollte man die Tiere nicht mit seinen eigenen Wunschvorstellungen nach Harmonie überfordern. Die Grenzen werden überall dort offenkundig, wo Tierarten von Wesen und Verhalten sehr unterschiedlich sind. Speziell für Kaninchen besteht ein potenzielles Risiko, wenn sie zusammen mit »Raubtieren« unter einem Dach leben. Doch unter günstigen Bedingungen lassen sich auch Hund und Katze durchaus erfolgreich an das Beute- und Fluchttier Kaninchen gewöhnen.

Hunde: Die einzelnen Hunderassen zeigen deutliche Verhaltensunterschiede: So lernen Kromfohrländer und Leonberger sicher leichter, im Kaninchen keine Beute zu sehen als vergleichsweise ein Energiebündel wie der Jack Russell Terrier. Generell sind als Partner für Kaninchen alle gut erzogenen, ruhigen und ausgeglichenen Hunde geeignet, die keinen ausgeprägten Jagdtrieb besitzen.

Katzen: Bei Katzen sind vor allen Dingen Perser und die sanften Britisch Kurzhaar gute Kaninchenkameraden. Die sehr lebhaften Abessinier, Burma und Siam dagegen sind wohl äußerst intelligent, aber in ihrer Jagdleidenschaft nur schwer zu zügeln. Im Vorteil sind hier größere Kaninchen, die sich nicht so schnell einschüchtern lassen.

Stubenvögel: Vögel im Haus stellen normalerweise keine direkte Gefahr für ein Kaninchen dar. Doch das durchdringende Pfeifen eines Nymphensittichs oder das lautstarke Gekrächze einiger Papageienarten ist garantiert keine Wohltat für die hoch empfindlichen Kaninchenohren. Empfehlenswert ist hier die getrennte Unterbringung in verschiedenen Zimmern.

Meerschweinchen: Wie die Kaninchen leben auch Meerschweinchen in der Natur gesellig und pflegen einen regen sozialen Austausch mit ihren Artgenossen. Typisch für beide Tierarten ist ihre ausgeprägte Fluchtbereitschaft. Da aber ihre »Sprache« sehr verschieden ist, kann diese Lebensgemeinschaft den arteigenen Partner nicht ersetzen.

Dieser Dackel hat gelernt, Hasi darf man anschauen, hinterherjagen nicht!

Gewöhnungstraining für Hund und Kaninchen

Generell gilt, erst wenn sich Ihre Kaninchen eingelebt haben und in ihrer Umgebung sicher fühlen, kann mit dem Training begonnen werden. Geduld und die richtige Vorgehensweise von Anfang an sind weitere Grundbausteine für das spätere, friedliche Zusammenleben:

➤ Reiben Sie sowohl das Kaninchen wie den Hund mit einem Baumwolltuch ab und lassen Sie dann das andere Tier am Tuch schnuppern. Streicheln Sie beide immer

CHECKLISTE

Vertraut mir mein Kaninchen?

Begrüßung

✔ Meist kommt das Kaninchen zur Fütterungszeit ans Gitter und reckt sich daran hoch.

Handfütterung

✔ Beim Freilauf nimmt es gerne auf Zuruf Leckerbissen aus der Hand.

Streichelangebote

✔ Das Kaninchen genießt es, von Ihnen gestreichelt zu werden und fordert Sie manchmal sogar durch Anstupsen dazu auf.

Neugier und Vertrauen

✔ Wenn Sie im Käfig hantieren, beschnuppert es neugierig Ihre Hand und flüchtet nicht ins Häuschen oder weicht einer Berührung aus.

wieder und direkt nacheinander, damit eine Geruchsgewöhnung und Duftübertragung stattfinden kann.

➤ Spielen Sie vor dem ersten Zusammentreffen der beiden mit dem Hund, bis er müde ist. Danach kommt er an die Leine und darf an der Transportbox mit dem Kaninchen schnüffeln und muss anschließend abliegen. Verhält er sich gesittet und ruhig, wird er gelobt und erhält eine Belohnung. Kratzt er jedoch

➤ *Mein Kater putzt seinem Kaninchen-Freund liebevoll die Ohren.*

an der Box und bellt lauthals, wird er mit scharfem »Nein!« und »Aus!« zur Ordnung gerufen und muss erneut abliegen. Beenden Sie die Übung nach etwa fünf Minuten, bringen Sie den Hund aus dem Zimmer und spielen sie mit ihm. Training täglich einmal wiederholen.

➤ Sobald die beiden Tiere sich kennen gelernt haben und ruhig verhalten, darf das Kaninchen dann zum ersten Mal frei laufen, während der Hund an der Leine ins Zimmer geführt wird.

➤ Die meisten Hunde lernen schnell, dass Kaninchen tabu sind und dass es interessantere Spiele gibt. Trotzdem sollte auch später jedes Treffen nur unter Aufsicht stattfinden.

Gewöhnungstraining für Katze und Kaninchen

➤ Wie beim Hund leistet auch beim Vertrauenstraining für Katze und Kaninchen die Duftübertragung mit dem Baumwolltuch vor der ersten Begegnung wertvolle Dienste.

➤ Das Kaninchen bleibt in der Box, wenn die Katze zum ersten Mal ins Zimmer gelassen wird. Bei mir sind die neuen Kaninchen anfangs immer durch eine Gittertür

von den Katzen getrennt, so dass sich die Tiere ohne jedes Risiko sehen und riechen können. Die Katzen dürfen Interesse, aber natürlich keinerlei Jagdgelüste zeigen. Auch hier wird das positive Verhalten durch Lob, Streicheln und einen kleinen Leckerbissen verstärkt. Die Übungsdauer sollte auf fünf Minuten täglich beschränkt werden.

➤ Zeigen sich die neuen Partner verträglich, folgt der erste gemeinsame Freilauf. Voraussetzung: Das Kaninchen kennt das Terrain und kann im Notfall flüchten. Auf dem Boden verteilte Leckerbissen fördern sein Wohlbefinden. Katzen, die zum Beutesprung oder Nackenbiss ansetzen, straft man mit dem gezielten Wasserstrahl aus der Blumenspritze – selbst wenn die Attacke spielerisch erfolgt. Die Harmonie zwischen Katzen und Kaninchen ist keine Hexerei: Alle meine sieben Stubentiger leben freundschaftlich mit zwei Kaninchen zusammen. Und ich kann immer wieder beobachten, wie sich eine Katze an ein Kaninchen kuschelt und es ableckt, was ihr ungleicher Partner ganz offensichtlich sehr genießt (→ Foto).

Die Körpersprache des Kaninchens

Aktion	Körpersprache	Bedeutung des Verhaltens
Männchen machen	Hockt auf den Hinterbeinen, Körper in die Höhe gereckt.	Sichern und Sondieren der Umgebung, Gerüche aufnehmen, hoch hängendes Futter erreichen.
Haken schlagen	Im schnellen Sprunglauf wird die Körperachse verändert.	Blitzschnelle Richtungsänderungen sollen Verfolger verwirren und abschütteln.
Hoppeln	Gleichmäßige Folge kurzer Sprünge, dabei werden die Hinterbeine vor den Vorderbeinen aufgesetzt.	Typische, mäßig schnelle Bewegungsart des Kaninchens. Auf der Flucht sind Sprungweite und Sprungfolge erhöht.
Graben	Intensives Scharren mit Vorderpfoten, Hinterbeine schieben und schleudern die Erde nach hinten weg.	So werden Höhlen ausgegraben, auch Baue genannt, in denen Wildkaninchen Schutz finden und ihre Jungen aufziehen.
Kratzen und Scharren	Kratz- und Scharrbewegungen mit den Vorderpfoten auf dem Boden, zum Teil aber auch als Leerlaufgeste.	Bei starker Erregung, bei trächtigen Häsinnen Scharren in der Einstreu, Dominanzgeste der Rammler.
Leichtes Anstupsen	Sanftes Antippen des Artgenossen oder des vertrauten Menschen mit der Schnauze.	Freundschaftliche Begrüßung, aber auch Streichelaufforderung an den Menschen.
Heftiges Wegstupsen	Kurzer Schnauzenstoß von unten gegen Bauch und Flanke des Artgenossen oder gegen die Hand beim Menschen.	Beim Artgenossen immer Aggressionsäußerung. Beim Menschen bedeutet diese Abwehrreaktion, dass das Kaninchen sofort in Ruhe gelassen werden möchte.
Felllecken	Gegenseitiges Fellputzen innerhalb der Gruppe.	Sozialverhalten, Festigung freundschaftlicher Beziehungen.
Hand-/Fußlecken beim Menschen	Wiederholtes Ablecken mit der Zunge.	Es zeigt mir seine Zuneigung und will mich auch pflegen.
Wälzen	Ausgiebiges Wälzen und Drehen des Körpers im Sand der Buddelkiste.	Wohlfühl- und Komfortverhalten, Reinigung des Fells vom Schmutz und Parasiten.
Regungsloses Verharren	Kaninchen macht sich klein, Körper an Boden gedrückt, Flanken beben, Ohren angelegt, Augen geweitet.	Totstellverhalten, Ausdruck extremer Furcht, bei Unterschreitung der Mindestdistanz panikartige Flucht.
Hockstellung	Ruhige Sitzhaltung, die Ohren sind dabei meist angelegt.	Arttypische Ruhehaltung
Liegen in Seitenlage	Entspannte Körperhaltung, die Hinterläufe sind nach hinten weggestreckt, der Kopf wird abgelegt.	Absolutes Relaxen, das Tier fühlt sich wohl und sicher, keinesfalls stören.

Kleine (Über-)Lebenskünstler

Obwohl jedes einzelne Kaninchen seine ganz individuelle Persönlichkeit entwickelt, zeigen alle Hauskaninchen noch das ursprüngliche Verhaltensrepertoire ihrer wild lebenden Vorfahren. Aus diesem Grund ist es wichtig, möglichst viel darüber zu wissen. Denn nur was man weiß, kann man auch verstehen und als Tierhalter entsprechend darauf reagieren.

Immer auf der Hut

Wildkaninchen müssen vor vielen Feinden auf der Hut sein. Nicht zuletzt machen auch wir Menschen Jagd auf Kaninchen, wo immer sie über unsere Felder hoppeln. Und trotzdem sind die Bestände der munteren Gesellen keineswegs in Gefahr – im Gegenteil! Ihre Überlebensstrategien sind einfach, aber erstaunlich erfolgreich.

Kindersegen: Nachwuchs – so viel und so früh wie möglich. Spätestens ab der 15. Lebenswoche ist eine Häsin geschlechtsreif. Und kann bei bis zu sechs Würfen jährlich etwa 30 Junge zur Welt bringen. Kurz nach der 30 Tage dauernden Tragzeit ist sie erneut aufnahmebereit. Diese extreme Fruchtbarkeit gleicht die hohen Verluste der ersten beiden Lebensjahre aus.

➤ Konsequenz: Verlassen Sie sich bei einem Pärchen nicht darauf, dass die noch säugende Häsin nicht bereits wieder gedeckt wird. Rammler möglichst frühzeitig kastrieren.

Höhlenbau: Wildkaninchen verbringen einen Großteil des Lebens in ihrem etwa 100 qm großen Höhlensystem. Das besteht aus dem Haupteingang, vielen Gängen und Fluchttunneln und bis zu 50 Ausstiegen. Es dient als Ruhebereich, Zufluchtsort vor Feinden und schlechtem Wetter, als Wochenstube und zur Kinderaufzucht.

➤ Konsequenz: Ihre Kaninchen brauchen Häuschen und Verstecke, in die sie sich

Feind in Sicht? Die großen Ohren arbeiten wie ein Radarsystem und warnen auch im hohen Gras vor drohender Gefahr.

zur Ruhe und auch bei Gefahr zurückziehen können. Das Buddeln in der Erde ist den Tieren angeboren. Ein Sandhaufen im Freigehege gehört daher unbedingt zur artgerechten Haltung. Achten Sie aber unbedingt darauf, dass der Gehegeboden gegen Ausbruchversuche gesichert ist (→ Seite 52). Lenken Sie die Aktivitäten in der Wohnung von Anfang an auf die Buddelkiste. Dann bleiben die Teppiche verschont.

Gruppenleben: Viele Augen, Ohren und Nasen sehen, hören und riechen Feinde schneller. Die Gruppe ist die Lebensversicherung der Kaninchen. Mehr noch: Die Sozialkontakte mit den Artgenossen sind ein Grundbedürfnis. Alleinsein bedeutet für Kaninchen den Verlust von Lebensqualität und führt auf Dauer zu Verhaltensproblemen und Krankheit.

➤ Konsequenz: Nie allein, sondern zu zweit und bei entsprechendem Platzangebot kann es auch eine Gruppe aus drei bis fünf Tieren sein: entweder nur kastrierte Böcke, oder zwei Häsinnen mit einem Kastraten. Nicht empfehlenswert sind reine Häsinnengruppen.

Erste Annäherung 1

Kaninchen, die sich noch fremd sind und nicht als Jungtiere kennen lernen konnten, müssen richtig aneinander gewöhnt werden. Stellen Sie die Käfige so zusammen, dass Sicht- und Geruchskontakt möglich sind.

Duftübertragung 2

Um die geruchliche Übertragung noch zu verstärken, bis beide ähnlich vertraut riechen, werden die Tiere wechselseitig jeweils in den Käfig des anderen gesetzt. Mit einem Baumwolltuch die Tiere nacheinander einreiben. Wie man sieht, reagiert Velvet sofort darauf.

Flirtversuch 3

Nun darf jeweils ein Kaninchen laufen, während das andere im Käfig verbleibt. Solange sie versuchen, sich durch das Gitter zu beißen und anzuspringen, muss noch geübt werden. Gute Anzeichen sind freundliches Anschnuppern (wie hier) und allgemein, ruhiges Verhalten.

Freundschaft besiegelt 4

Erster gemeinsamer Auslauf findet stets auf neutralem Grund, in einem unbekannten Zimmer statt. So kommt es nicht zur Revierverteidigung. Um das Kennenlernen angenehm zu gestalten, Knabbereien verteilen und für Ausweich- und Rückzugsmöglichkeiten sorgen.

Verhaltensdolmetscher
Kaninchen

Kennen Sie die Kaninchensprache? Hier erfahren Sie, was Ihr Kaninchen mit seinem Verhalten ausdrücken möchte ❓ und wie Sie richtig darauf reagieren ➡️.

> Mit weiten Sätzen flieht das Kaninchen in die Büsche.

❓ Bei Gefahr können die Tiere kurzzeitig eine Geschwindigkeit von bis zu 50 Stundenkilometer erreichen.
➡️ Sorgen Sie stets für genügend Versteckmöglichkeiten.

> Das Kaninchen macht Männchen. Es sichert.

❓ So verschafft es sich einen besseren Überblick.
➡️ Bei einer zu hohen Bodenschale im Käfig, die dem Tier die Sicht versperrt, für erhöhte Sitzplätze sorgen.

Das Fell wird mehrmals täglich ausgiebig geputzt.

? So fühlt sich das Kaninchen wohl und ist bei schlechter Witterung geschützt.

→ Bei Vernachlässigung der Fellpflege kann es krank sein.

Alle Kaninchen mögen erhöhte Aussichtsplätze.

? Mehr noch als beim Männchenmachen erhält das Tier so einen guten Rundumblick.

→ Bieten Sie Ihren Kaninchen im Freigehege einen Baumstamm, einen Erdhügel oder überdachte Freisitze an.

Das Kaninchen versteckt sich in den Brennesseln.

? Dieses Tier hat sich erschreckt und sucht instinktiv Schutz.

→ Zum Wohlbefinden braucht jedes Kaninchen ein Häuschen, eine Höhle oder eine Kuschelkiste.

So entspannen und ruhen Kaninchen sich aus.

? Dieses Verhalten zeigen Kaninchen nur dann, wenn sie sich sicher fühlen.

→ Jetzt das Tier keinesfalls stören oder gar erschrecken.

31

Die Schnupperwelt der Kaninchen

Während des Tages halten sich Wildkaninchen vorwiegend in ihrem unterirdischen Bau auf, wo sie vor den meisten Feinden sicher sind. Normalerweise kommen sie nur im Schutz der Morgen- und Abenddämmerung heraus, um auf Futtersuche zu gehen – die »verstädterten« und weniger scheuen, häufig tagaktiven Bewohner unserer Parks und Grünanlagen ein-

mal ausgenommen. Die Kaninchen waren darauf angewiesen, ein Verständigungssystem zu entwickeln, das auch im Dunkeln funktioniert und gleichzeitig so geräuschlos ist, dass kein Raubtier sie als Beute lokalisieren kann. Gelöst haben die Tiere dies auf eine einzigartige und überzeugende Weise: Sie verständigen und informieren sich vor allen Dingen

durch Gerüche. Sie sprechen per Nase von Duft zu Duft und auch ihre Hinterlassenschaften gleichen duftenden Visitenkarten.

Duftende Visitenkarten

➤ Wer seine Kaninchen beobachtet, stellt schnell fest, dass ihre Nasen fast pausenlos in Bewegung sind. »Nasenblinzeln« nennen Kaninchenfreunde diese ständigen Schnüffelaktionen. Fast 100 Millionen Riechzellen in ihrer Nasenschleimhaut erlauben es den Tieren, selbst winzige Duftspuren wahrzunehmen. Der Geruch verrät ihnen Fressfeinde lange bevor sie in Sichtweite kommen, am Duft unterscheiden sie zwischen fremden und befreundeten Artgenossen und ihren Hinterlassenschaften.

➤ Zu beiden Seiten der Geschlechtsöffnung sitzen Leistendrüsen, die einen auch für den Menschen wahrnehmbaren süßlichen Geruch verströmen. Der Duftstoff informiert das Kaninchen über die Familienzugehörigkeit und das Geschlecht eines Artge-

Solch einen freundlichen Nasenstüber gibt es nur für den Artgenossen, dessen vertrauten Geruch man kennt.

nossen. Der Kaninchenbock erkennt daran auch, ob die Dame seines Herzens paarungsbereit ist. Umgekehrt enthält der Harn, mit dem das männliche Tier die Auserwählte bespritzt, seine ganz persönliche Duftmarke.

➤ Kaninchen kennzeichnen ihre typischen Kotkügelchen mit Geruchsstoffen aus den Analdrüsen und markieren mit diesen Duftsignalen die Grenzen ihres Reviers.

➤ Für den Menschen nicht wahrnehmbar sind die Absonderungen der Kinndrüsen. Kaninchen imprägnieren damit Objekte in ihrem Eigenbereich, indem sie mit der Unterseite des Kinns daran reiben. Diese Reviermarken signalisieren ihren Besitzanspruch und vermitteln gleichzeitig ein Gefühl der Sicherheit.

Hören, Sehen, Tasten, Schmecken

Ohren: Ein Kaninchen kann seine Ohren wie Schalltrichter unabhängig voneinander bewegen und so verschiedene Geräuschquellen gleichzeitig orten. Die Widderkaninchen besitzen wegen ihrer Hängeohren allerdings nur noch ein vermindertes Hörvermögen.

Sind meine Kaninchen glücklich?

	Ja	Nein
1. Gönnen Sie Ihren Kaninchen täglich frische Zweige und Hölzer zum Benagen?	☐	☐
2. Können Sie damit leben, wenn Sie ab und zu Nagespuren entdecken und auch einmal das Telefonkabel angeknabbert wird?	☐	☐
3. Dürfen Ihre Tiere regelmäßig und jeden Tag frei laufen?	☐	☐
4. Beschäftigen Sie sich häufig mit ihnen und streicheln Sie ein Kaninchen, wenn es zu Ihnen aufs Sofa springt?	☐	☐
5. Leben Ihre Kaninchen in der Gruppe (zu zweit oder besser zu dritt)?	☐	☐
6. Können die Tiere nach Herzenslust in einer Buddelkiste graben und scharren?	☐	☐
7. Bieten Sie ihnen während des Auslaufs genügend Versteckmöglichkeiten?	☐	☐

Auswertung. 7-mal Ja: Glückwunsch! Ihre Kaninchen fühlen sich rundum wohl. **5–6-mal Ja:** Alles in Ordnung. Wenn Sie noch etwas mehr auf die Ansprüche Ihrer Tiere eingehen, wird das der Beziehung gut tun. **Weniger als 5-mal Ja:** Sie werden den Bedürfnissen der Kaninchen leider kaum gerecht.

Augen: Die Augen des Kaninchens sind vorgewölbt und sitzen seitlich so weit oben am Kopf, dass sie auch ohne Kopfbewegung eine nahezu vollständige Rundumsicht möglich machen. Selbst aus der Luft können Feinde daher kaum einen Überraschungsangriff starten.

Tasthaare: Im Mund- und Nasenbereich und an den Wangen sitzen Tasthaare, die für die Orientierung in der Dunkelheit unverzichtbar sind: Sie »vermessen« Hindernisse und liefern Informationen über Höhe und Breite von Schlupflöchern.

Geschmacksknospen: Eine große Zahl von Geschmacksknospen im Mund und im Rachen erlaubt es dem Kaninchen zwischen süß, sauer, bitter und salzig zu unterscheiden.

33

Erziehung mit leichter Hand

Sie nagen, graben und markieren: Kaninchen kommen ihren ureigenen Bedürfnissen so beharrlich nach, dass selbst tolerante Kaninchenfreunde manchmal frustriert sind – vor allem bei Wohnungshal-

> Absolutes Knabber-Verbot: Alle Elektrokabel unbedingt sichern!

tung. Doch grundsätzlich handelt ein Kaninchen gemäß seinen angeborenen Instinkten. Es für sein natürliches Verhalten zu bestrafen,

wäre unsinnig. Umlernen erfolgt nur durch sofortiges Reagieren und solange bis die Hausregeln gelernt sind.

Sauber und stubenrein

Kaninchen sollten frei in der Wohnung laufen dürfen. Das setzt voraus, dass sie stubenrein sind. Die Toilettenschale im Käfig ist ihnen bereits vertraut (→ Seite 16). Stellen Sie vor dem ersten Freilauf eine zweite Toilette im Zimmer auf, möglichst etwas versteckt unter dem Tisch oder in der Sofaecke. Für größere Rassekaninchen verwende ich eine geräumige Katzentoilette mit Haube. Sie ist mit einer Mischung aus Spielzeugsand

und Katzenstreu gefüllt und dient auch als Buddelkiste. Nach jeder Säuberung lasse ich zur Wiedererkennung einige Kotkügelchen zurück. Meine Kaninchen scharren und graben mit Begeisterung darin. Seitdem bleiben die Teppiche verschont.

➤ Während des Auslaufs steht die Käfigtür offen, damit bei Bedarf auch diese Toilette benutzt werden kann.

➤ Setzen Sie noch nicht stubenreine Tiere immer wieder auf die Toilette. Jedes Scharren und jedes »Geschäft« verdient ein Lob.

➤ Harnflecke im Teppich sofort entfernen. Pfefferminz- oder Zitronenöl im Wasser

TIPP

Die wichtigsten Erziehungsregeln

➤ Körperliche Bestrafung und Anschreien sind als Erziehungshilfe völlig ungeeignet. Die Tiere werden handscheu und reagieren aggressiv.

➤ Erlaubt ist die »Ermahnung« mit der Blumenspritze. Immer aus der Distanz spritzen, damit die Kaninchen die Aktion nicht mit Ihnen verknüpfen können.

➤ Bedürfnisse nicht ignorieren, sondern dorthin lenken, wo die Tiere sie ausleben können.

➤ Viel Geduld und Konsequenz sind die Grundvoraussetzungen für alle Erziehungsversuche.

überlagert den Harngeruch und verhindert, dass er zur Nachfolgeaktion animiert.

➤ Kaninchen markieren gerne auch im Bett des Menschen. Deshalb sind Betten grundsätzlich tabu. Ertappt man einen Übeltäter in flagranti, vertreibt und ermahnt man ihn mit einem gezielten Strahl aus der Blumenspritze auf sein Hinterteil.

Die Lust am Knabbern

Nagen ist die größte Leidenschaft der Kaninchen. Jeder Besitzer hat sicher seine Lieblinge schon bei unerwünschten Knabberattacken erwischt. Behalten Sie Ihre Kaninchen immer im Auge. Die Blumenspritze steht griffbereit. Knabbert ein Tier an der Tapete, am Teppich oder der Bodenleiste, besonders beliebt sind »verschwiegene« Orte unter dem Bett, Sofa oder hinter Schränken, erfolgt unverzüglich ein gezielter Wasserstrahl auf das Hinterteil. Das Kaninchen wird seine Nagetätigkeit sofort unterbrechen und sich kurz schütteln. Nun locken Sie das Tier herbei und bieten ihm eine leckere Knabberalternative an, wie ein Löwenzahn- oder Petersilienblatt

> *Nach dem Verbot bietet man dem Kaninchen solch einen frischen Zweig als leckere Knabber-Alternative an.*

oder ein Stück Knäckebrot. Streicheln und loben Sie das Tier danach mit Worten wie »Guuut«. Weitere erlaubte Knabber-Befriediger: Frische Zweige und Naturhölzer in jeglicher Form und Größe.

So lernt das Kaninchen

➤ An bestimmten Plätzen und Gegenständen dürfen Kaninchen nagen, graben und markieren. Eine positive Lernerfahrung. Andere Orte und Dinge verursachen ein Unlustgefühl. Dies wird folglich zukünftig gemieden.

➤ Sanfte Worte, Futter und Streicheln kommen vom Menschen, also kann man ihm vertrauen. Die »Wasserstrafe« aus der Entfernung wird nicht direkt mit dem Menschen in Verbindung gebracht. Deshalb erfolgt hier kein Vertrauensverlust.

➤ Verbindet man eine erzieherische Maßnahme mit lautem Händeklatschen oder scharfem »Nein!«, registrieren viele Kaninchen zwar, dass sie etwas falsch machen, behalten ihre Untugenden aber oft heimlich bei.

➤ Worte hingegen werden nur im positiven Zusammenhang eingesetzt, bei Spiel und Beschäftigung (→ Seite 54).

Fragen rund ums Verhalten

Mein Kaninchenpaar hat sich bisher gut verstanden. Doch nach der Kastration des Bocks ging seine Partnerin plötzlich auf ihn los. Was ist da passiert?
Die Erklärung ist ganz einfach: Für das Weibchen hat der Kaninchenmann nicht mehr nach dem wohl vertrauten Käfigpartner gerochen, sondern nach den Narkose- und Desinfektionsmitteln. Folglich hat sie ihn als fremden Artgenossen betrachtet und attackiert. Nach der Kastration sollte das männliche Tier daher für drei bis fünf Tage solo in einer Extrabox untergebracht werden.

Statt der üblichen Einstreu legt man Papier auf den Boden. So können keine Strohhalme in die noch frische Operationsnarbe stechen und man entdeckt auch eventuelle Nachblutungen rechtzeitig. Manche Kaninchen benötigen nach der Narkose noch Ruhe und Wärme, bis sich Kreislauf und Körpertemperatur stabilisiert haben. Reiben Sie den Bock in den nächsten Tagen mit der alten Einstreu ein, damit er wieder den vertrauten Sippengeruch annimmt. Erst dann darf er zur Partnerin – am besten während eines gemeinsamen Auslaufs.

Unser Lohkaninchen ist ein echter Schmuselappen. Doch wenn ich es länger kraule, springt es manchmal weg und schüttelt den Kopf. Was bedeutet das?
Kaninchen schütteln den Kopf immer dann, wenn ein Geruch sie irritiert oder wenn sie genug geschmust haben. Vor dem Streicheln sollten Sie möglichst kein Parfüm verwenden und auch nicht mit anderen Düften in Kontakt kommen, die ein Kaninchen verunsichern. Dazu zählt auch der Geruch nach fremden Hunden und Katzen.

Mein Kaninchenbock umkreist häufig meine Beine und gibt dabei leise Töne von sich. Was will er mir damit sagen?
Ganz klar: Er flirtet mit Ihnen. So umwirbt ein Kaninchenmann seine Dame des Herzens, in dem Fall sind Sie es. Dieses Paarungsritual

Lebensfreude pur heißt für Kaninchen Herumrennen und Hakenschlagen.

wird duch Hormone ausgelöst und manche Kaninchen zeigen es, unabhängig davon, ob sie alleine gehalten werden oder zusammen mit einem Artgenossen leben.

? Ich habe gelesen, dass Kaninchen nur wenige Laute von sich geben. Mein Kaninchen spricht trotzdem immer wieder mit mir. Was will es mir sagen?
Kaninchen sind tatsächlich eher stille Tiere. Lautäußerungen muss man bei ihnen immer in Zusammenhang mit der Körpersprache sehen: Vor einem Angriff kann ein kurzer Knurrlaut erfolgen. Der Körper stößt blitzschnell vor, die Ohren sind dabei nach hinten gelegt und das Schwänzchen weggestreckt. Bei unerwünschter Annäherung oder Ergreifen meckern Kaninchen manchmal mit einer Folge von meist brummend grunzenden, aber auch helleren Lautäußerungen. Bei Ergreifen und ausgelöster Todesangst schreit es hell und durchdringend und versucht mit allen Kräften frei zu kommen. Wenn Sie beim Streicheln ganz leise sind, hören Sie manchmal auch die Mahlgeräusche der Kaninchenzähne, die an das Schnurren einer Katze erinnern und Ihnen sagen, dass sich Ihr Schmusepartner wohl fühlt.

? Mein Nachbar hupt oft, wenn er mit dem Auto nach Hause kommt. Mein Kaninchen wird dann ganz aufgeregt und klopft heftig mit den Hinterläufen auf den Boden. Antwortet er auf das Hupen?
Gewissermaßen Ja. Das laute Hupen erscheint Ihrem Kaninchen als gefährliches Geräusch und ängstigt es. Das Klopfen mit den Hinterbeinen drückt seine Erregung aus und soll Artgenossen vor der vermeintlichen Gefahr warnen. Wild lebende Kaninchen verschwinden daraufhin blitzschnell im sicheren Bau.

? Meine beiden noch jungen Kaninchen jagen immer wie die Wilden im Zimmer herum und vollführen richtige Luftsprünge. Warum machen sie das?
Vor allem bei jungen Tieren ist die Luftakrobatik ein deutlicher Ausdruck ihrer Lebensfreude. Gleichzeitig trainieren sie so ihre Fitness und üben das später manchmal lebenswichtige Hakenschlagen.

Monika Wegler

Die wichtigsten Umgangsregeln

➤ Nähern Sie sich einem Kaninchen stets langsam und ohne hektische Bewegungen. Sprechen Sie es dabei freundlich und mit leiser Stimme an.

➤ Nie ohne Vorbereitung das Tier am Nacken ergreifen, es würde sonst erschrecken und sich wie von einem Raubvogel gepackt fühlen.

➤ Vor dem Hantieren im Käfig und dem Anfassen eines Kaninchens kommt immer zuerst das »Vorstellen«: Dazu den Handrücken in Kopfhöhe des Tieres halten, damit es daran schnuppern und Sie an Ihrem Geruch erkennen kann.

➤ Kaninchen brauchen die vertraute Umgebung. Kleine Veränderungen wecken ihre Neugier, große Umbauaktionen von Käfig und Möbeln verunsichern und erschrecken sie.

MEINE TIPPS FÜR SIE

Fit-und-gesund-Programm

Die richtige Ernährung für Kaninchen

Die Urheimat der Kaninchen ist das karge Buschland der Iberischen Halbinsel. Überlebt haben sie hier nur, weil sich ihr Verdauungssystem an die nährstoffarme Pflanzenkost angepasst hat. Energie-

> *Gesunder Leckerbissen für zwischendurch: eine saftige Möhre.*

reiches Futter mit geringem Rohfaseranteil ist daher nicht die richtige Ernährung für Kaninchen und befriedigt auch nicht ihr Kaubedürfnis.

Grün ist Trumpf

Wissenschaftlich längst bewiesen: Grüne Pflanzen wie Gräser, Blätter, Kräuter (frisch und getrocknet als Heu) sind die natürlichste und gesündeste Kaninchenernährung! Kommt es zu Problemen, dann nur durch verdorbenes Futter oder eine plötzliche Radikalumstellung, bei der die Tiere ausgehungert nach Grünzeug, zu viel auf einmal in sich hineinfressen. Kaninchenzähne schneiden und vollführen kauende Mahlbewegungen, am intensivsten geschieht dies beim Fressen von Grünfutter. So werden die ständig nachwachsenden Zähne natürlich abgenutzt und auch der Kautrieb ausreichend befriedigt. Geeignet sind alle Gräser, Löwenzahn, Wild- und Küchenkräuter. Ebenfalls beliebt: Blattpetersilie, Feldsalat, Möhrenkraut und junge Blätter der Walderdbeere. Als Saftfutter: Fenchel, Karotten, Stangensellerie, Brokkoli, Topinambur, Zichorie und Salat. Bei Obst sind Apfel und Birne die beste Empfehlung. Sammeln Sie Grünpflanzen nur auf naturbelassenen Wiesen abseits der Straßen.

Vor allem gutes Heu

Als tägliches Brot sorgt Heu für eine gute »Darmpassage« (→ Seite 47). Es sollte aber

---

TIPP

Die wichtigsten Fütterungsregeln

➤ Immer vielseitig füttern in kleinen Mengen über den ganzen Tag verteilt.

➤ Die Futtermenge muss individuell der Körpergröße und Bewegungsintensität angepaßt werden. Regelmäßige Gewichtskontrolle beugt vor (→ Seite 47).

➤ Frisches Wasser immer zur Verfügung stellen.

➤ Alle Futtergaben gut waschen und trocknen. Tabu sind schimmelige, gefrorene und gespritzte Nahrungsmittel sowie Essensreste vom Tisch.

hochwertiges Alpenwiesen- oder Kräuterheu aus dem Zoofachhandel sein. Zu altes, staubiges oder gar schimmeliges Heu kann zu gesundheitlichen Problemen führen. Die Raufe im Zimmerkäfig ist immer gefüllt mit Heu, von dem das Tier so viel fressen darf, wie es möchte.

Die richtige Knabberkost: frische Zweige mit Knospen oder Blättern, besonders beliebt sind Haselnuss und Hainbuche, ansonsten Linde, Ahorn und ungespritzte Obstbäume. Knabberzweige nach Belieben anbieten, Knäckebrot einmal die Woche. Bei Knabberstangen ist es wie mit Schokolade für Kinder: verführerisch und heiß begehrt, aber reine Kalorienbomben.

> *Blattpetersilie für kleine Feinschmecker.*

Trockenfutter gibt Kraft

Trockenfutter ist eine hochkonzentrierte Kraftnahrung. Zu viel davon macht schnell dick. Achten Sie beim Fertigfutter auf möglichst fettarme und rohfaserreiche Mischungen mit einem hohen Anteil an Grünpflanzen und Gemüse. Und kontrollieren Sie beim Kauf der Produkte immer auch das Verfallsdatum und die Angaben über die Inhaltsstoffe. Faustregel: Die mengenmäßig vorherrschenden Futterbestandteile werden auf der Verpackung stets zuerst aufgeführt.

Frisches Wasser

Wasser ist das einzig richtige Getränk für Kaninchen. Ob in der Nippeltränke oder dem Steingutnapf: Täglich frisch soll es sein, nie eiskalt oder zu stark gechlort. Saftfutter allein stillt den Durst nicht. Der Flüssigkeitsbedarf ist von Tier zu Tier verschieden und hängt von Futterangebot, Umgebungstemperatur und Luftfeuchtigkeit ab.

CHECKLISTE

Futter, das fit hält

Suchspielspaß
✔ Fitness-Futter: Zweige, Petersilie und Löwenzahn ins Gitterdach hängen oder als Leckerbissen im Zimmer verstecken, z.B. in oder auf Kartons gelegt (→ Seite 54/55).

Kaubedürfnis
✔ Je mehr das Tier zu Knabbern hat, desto besser. Immer gutes Heu, Zweige und Naturhölzer mit und ohne Rinde anbieten. Das hält die Zähne kurz und die Wohnungseinrichtung bleibt verschont.

Mundgerecht
✔ Obst und Gemüse vor dem Verfüttern in Portionen zerteilen. Karotten der Länge nach aufschneiden.

Das Pflege-Einmaleins

Bei richtiger Haltung und gesunder Ernährung brauchen Kaninchen nur selten Unterstützung bei ihrer Körperpflege. Um Kaninchen mit einem langen und weichen Fell muss man sich allerdings intensiver kümmern. Pflicht und vor allem auch aktive Krankheitsvorsorge ist die regelmäßige Reinigung von Käfig und Zubehör.

> *Für jeden Auslauf Pflicht: Katzentoilette zum Buddeln und fürs »Geschäft«.*

Zahnkontrolle

Kaninchenzähne wachsen zeitlebens, nutzen sich aber bei ausreichender Versorgung mit Grünfutter und Knabberkost auf natürliche Weise ab. Bei Tieren mit einer angeborenen Gebissfehlstellung wachsen die Schneidezähne übermäßig. Die Folge sind Probleme bei der Futteraufnahme und heftige Schmerzen. Verhindern kann das nur der Tierarzt, der die Zähne regelmäßig kürzt. Achten Sie bei jeder Zahnkontrolle auch auf Veränderungen des Zahnfleischs, der hinteren Zähne und auf eventuell erhöhten Speichelfluss. Auch harte Futterteilchen können sich dort festgesetzt haben und Entzündungen hervorrufen.

Kurze Krallen

Auch die Krallen des Kaninchens wachsen ständig. In freier Natur nutzen sie sich durch häufiges Graben ab. Bei der Haltung in der Wohnung beugt eine Tuffsteinplatte, unter den Sand der Buddelkiste gelegt, zu langen Krallen vor. Ein Steinmetz schneidet

Der Pflegekalender

Täglich
✔ Futternäpfe mit heißem Wasser reinigen und trocknen. Fest getretenes Stroh mit der Hand auflockern, damit die Kotbällchen nach unten in die Weichholzspäne fallen können.

Ein- bis zweimal pro Woche
✔ Einstreu von Käfig, Toilette und Buddelkiste komplett austauschen.

✔ Bodenwannen, Plastikschalen und Sitzbretter unter heißem Wasser abbürsten. Die Nippeltränke mit einer speziellen Flaschenbürste reinigen.

✔ Das Fell von langhaarigen Rassekaninchen mit einem Spezialkamm (→ Seite 43) in Form bringen.

Monatlich
✔ Kontrolle von Zähnen, Zahnfleisch, Krallen und Leistendrüsen.

✔ Vollreinigung des Zubehörs mit einem biologischen Desinfektionsmittel.

✔ Gewichtskontrolle

Bei Bedarf
✔ Harnsteinkrusten in der Wanne mit Zitronensäure (in der Apotheke erhältlich) entfernen. Dabei gibt man einen Esslöffel Zitronensäure auf einen Liter warmes Wasser.

>1 Zahnkontrolle

Einmal im Monat sollten Sie die Zähne Ihres Kaninchens wie abgebildet überprüfen. Bei ausreichender Knabberkost nutzen sich die stets nachwachsenden Zähne auf natürliche Weise ab. Nur bei einer angeborenen Gebissfehlstellung muss der Tierarzt diese kürzen. Achten Sie beim Kauf auf eine eventuelle Fehlstellung.

>2 Krallenschneiden

Stellen Sie fest, dass die Krallen Ihres Tieres zu lang sind, müssen diese mit einer entsprechenden Krallenzange gekürzt werden. Das Fell über der Kralle nach hinten schieben und etwa 7 mm über dem Leben (durchbluteter Teil) in Wuchsrichtung kappen, dunkle Krallen von unten mit einer Taschenlampe anleuchten.

Ihnen eine entsprechende Platte gerne passgenau zu. Ungeeignet sind zu harte Sandsteinplatten, weil sie den Bruch der Krallen zur Folge haben können.

Fell in Form

So wie wir Menschen uns während des Winters in dicke Mäntel hüllen und im Sommer luftig anziehen, wechseln auch Kaninchen, die ganzjährig draußen leben, ihr Fellkleid je nach Jahreszeit. Leben die Tiere dagegen in gemäßigtem Wohnungsklima, findet der Haarwechsel fließend statt. Bei ihnen sollte die Bürste den natürlichen Haarverlust unterstützen: Kurzhaarkaninchen einmal pro Woche mit einer weichen Naturborstenbürste in Fellrichtung bürsten, um die abgestorbenen Haare zu entfernen. Die Tiere genießen diese Massage. Langhaarrassen wie die Fuchskaninchen zweimal wöchentlich kämmen. Angorakaninchen, Jamora und alle Mischlinge mit weichem Fell brauchen tägliche Pflege mit einem Spezialkamm mit gekrümmten Metallzähnen wie er auch für Langhaarkatzen verwendet wird. Bei Angora und Jamora ist alle drei Monate eine Komplettschur fällig, die der Tierarzt oder Züchter vornehmen sollte. Verklebtes Fell am Hinterteil mit lauwarmem Wasser säubern oder die verklebten Haare abschneiden. Die Leistendrüsen in den haarlosen Hauttaschen an der Geschlechtsöffnung verströmen einen süßlichen Duft. Wischen Sie das Sekret mit Wattebausch und Babyöl behutsam ab. Und nicht vergessen: Vollbad und Dusche sind für Kaninchen tabu!

Gesundheitsvorsorge

Bei gesunder Ernährung und artgemäßer Haltung sind Kaninchen von robuster Gesundheit. Beobachten Sie Ihre Tiere während des täglichen Umgangs sorgfältig, damit Ihnen Veränderungen im Verhalten und am Körper frühzeitig auffallen. Das ist

> *Wer so aufgeweckt und vorwitzig schaut, kann nicht krank sein.*

wichtig, weil die Chancen auf eine vollständige Genesung bei jeder Erkrankung, die Ihr Tierarzt frühzeitig behandeln kann, besonders gut stehen.

Krankheitsanzeichen

Das muntere, selbstbewusste Wesen, der gesunde Appetit, ein glänzendes Fell, klare Augen, die geregelte Verdauung und Lust an ausgiebiger Bewegung und am Graben und Wühlen zeichnen gesunde Kaninchen aus. Erste Symptome einer möglichen Erkrankung sind die folgenden Veränderungen (→ Seite 12). In allen Fällen sollten Sie den Tierarzt umgehend um Rat fragen und ihm das Kaninchen vorstellen.

➤ Das Kaninchen hockt teilnahmslos in einer Käfigecke und zeigt kaum noch Interesse an seiner Umgebung.

➤ Es kommt nicht zur Fütterung und nimmt nur wenig oder gar keine Nahrung an.

➤ Die Kotkügelchen sind nicht fest geformt, sondern breiig. Der Afterbereich ist verschmiert.

➤ Die Augen sind trübe, die Haare struppig, dem Fell fehlt der typische Glanz.

➤ Das Kaninchen knirscht hörbar mit den Zähnen.

Termin beim Tierarzt

Wenn Sie Neuling in der Kaninchenhaltung sind, erkundigen Sie sich bei anderen Haltern und Zoofachhändlern nach Tierärzten, die spezielle Erfahrung in der Behandlung von Kaninchen besitzen. Im Zweifelsfall sollte

TIPP

Naturmedizin hilft auch Kaninchen

➤ Kamillenblütentee stoppt leichten Durchfall. Als Aufguss auch zum Inhalieren bei Atemwegskatarrh.

➤ Calendula-Tinktur desinfiziert kleinere Schürf- und Bisswunden und wirkt entzündungshemmend.

➤ Homöopathische Mittel wie Nux vomica D6 helfen bei leichteren Magen-Darm-Störungen.

➤ Notfallsituation: Bachblüten-Rescue-Tropfen.

➤ Euphrasia-Augentropfen bringen Linderung bei leichteren Augenentzündungen.

> *Nur gesunde Tiere pflegen regelmäßig ihr Fell. Mit der Zunge befeuchtet das Kaninchen seine Vorderpfoten und wäscht sich zunächst gründlich das Gesicht, danach den übrigen Körper.*

ein Tierarztbesuch nie hinausgezögert werden. Auf der Fahrt dorthin gehört das Kaninchen in eine Transportbox (→ Seite 22), in der es auch im Wartezimmer bleibt. Leider sieht man hier häufig Kaninchen, die frei auf dem Arm oder im offenen Korb sitzen. Angesichts der dort anwesenden Hunde ist dies für die kleinen Patienten nicht nur gefährlich, sondern Stress pur. Angaben zu Alter und Geschlecht Ihres Kaninchens, zu eventuellen Vorerkrankungen und natürlich zu den aktuel-

len Krankheitssymptomen erleichtern dem Tierarzt die Diagnose. Informieren Sie ihn auch über das Futter (speziell der letzten 24 Stunden) und bringen Sie bei Durchfall eine Kotprobe mit.

Die Pflege älterer Tiere

Ähnlich wie wir Menschen sind ältere Kaninchen nicht mehr so bewegungsfreudig und reagieren empfindlicher auf zu große Veränderungen in ihrem Lebensumfeld. Trotzdem ist regelmäßige Bewegung wichtig und mehr

denn je die monatliche Gewichtskontrolle und eine damit verbundene leicht verdauliche Kost. Bei guter Pflege und Ernährung werden Kaninchen acht Jahre und älter (→ Seite 46). Besteht keine Aussicht auf Heilung und leidet ein Tier unter starken Schmerzen, wird Ihnen der Arzt zur Einschläferung raten. Sprechen Sie mit Ihren Kindern offen darüber und nehmen Sie gemeinsam Abschied. Vielleicht können Sie Ihren kleinen Freund im eigenen Garten beerdigen.

Fragen rund um Ernährung und Gesundheit

Ich mache mir Sorgen um mein Kaninchen. Es frisst anscheinend seinen eigenen Kot. Ist es krank?
Es gibt keinen Grund zur Sorge: Ihr Kaninchen frisst nicht den normalen Kot, sondern seinen so genannten Blinddarmkot. Er enthält Stoffe, die für Ernährung und Verdauung lebenswichtig sind. Meist registriert man das Kotfressen gar nicht, weil die Kaninchen diese »Vitaminpillen« direkt vom After aufnehmen. Gelegentlich findet man jedoch die feucht glänzenden und traubenartig geformten Ausscheidungen neben den üblichen trockenen Kotkügelchen in der Einstreu. Auf keinen Fall dürfen Sie verhindern, dass Ihr Kaninchen diesen Kot wieder aufnimmt. Sonst können Mangelerscheinungen und Krankheiten die Folge sein.

Meine Häsin ist bereits neun Jahre alt, aber rundum gesund und absolut fit. Wie alt können Kaninchen eigentlich werden?
Das älteste Kaninchen, von dem in der Literatur berichtet wird, hieß Flopsy und wurde stolze 18 Jahre alt. Bei guter Haltung und Pflege erreichen Hauskaninchen in der Regel acht bis zwölf Jahre. Freuen Sie sich, dass Ihre Häsin noch so fit ist, nehmen Sie aber Rücksicht auf ihr sicherlich zunehmendes Bedürfnis nach mehr Ruhe (→ Seite 45).

Mein Widderkaninchen schüttelt seit einiger Zeit immer häufiger den Kopf und versucht sich dort zu kratzen. Was löst diesen Juckreiz aus?
Diese Symptome deuten auf die so genannte Ohrräude hin, die von Milben verursacht wird. In den nicht so gut belüfteten Hängeohren der Widderkaninchen finden diese Erreger ein ideal feuchtwarmes Klima vor. Deshalb gehört bei Widderkaninchen die regelmäßige Ohrkontrolle zur Gesundheitsvorsorge. Gehen Sie mit Ihrem Tier umgehend zum Tierarzt.

Frisches Grün ist immer heiß begehrt. Dennoch nie zu viel auf einmal anbieten.

? Der Tierarzt hält mein Kaninchen für zu dick. Können Sie mir Tipps für eine Diät geben?

Übergewichtige Kaninchen können früher sterben als schlanke. Probieren Sie diese Diät: Dickmacher wie Trockenfutter mit viel Getreide und Knabberstangen vom Speiseplan streichen. Einmal pro Woche gibt es nur Heu und Wasser. Andere gesunde Leckerbissen wie z. B. Zweige oder Grünzeug so aufhängen, dass sich Ihr Kaninchen danach strecken muss. Regelmäßig Auslauf und noch mehr Bewegung verordnen. Viel Erfolg!

? Stimmt es, dass Kaninchen auch von Maden befallen werden?

Vor allem Kaninchen, die im Freigehege und draußen im Stall leben, können von Maden befallen werden. An Stellen, wo die Haut verletzt ist oder wo sich durch Kot verschmiertes Fell nässende Ekzeme gebildet haben, legen Fliegen ihre Eier ab. Die Larven entwickeln sich innerhalb von Stunden und können das Tier buchstäblich bei lebedigem Leib auffressen. Vor allem in der warmen Jahreszeit müssen Gehege und Stall täglich gründlich gerei-

nigt werden. Kontrollieren Sie jedes Tier täglich am ganzen Körper. Kot verschmiertes Fell vorsichtig wegschneiden. Reste in einem Kamillenbad aufweichen und das Tier anschliessend gut abtrocknen. Durchfallpatienten oder solche mit Hautverletzungen sofort dem Tierarzt vorstellen.

? Stimmt es, dass Kaninchen nicht wie wir Menschen aufstoßen und erbrechen können?

Das ist tatsächlich so, und aus diesem Grund ist es so wichtig, dass das Kaninchen stets nur kleine Mengen über den Tag verteilt frisst. Vor allem gutes Heu und rohfaserreiche Kost, da diese den Nahrungsbrei weitertransportieren und damit die gefährlichen Blähungen verhindern. Das Kaninchen besitzt einen relativ kleinen und wenig bemuskelten so genannten Stopfmagen. Würde es zu große Mengen auf einmal zu sich nehmen, z. B. frisches Grün oder gar Klee, käme es unweigerlich zu einer Magenüberladung. Folge davon sind starke Blähungen, die schlimmstenfalls zur lebensbedrohlichen Trommelsucht führen können.

Monika Wegler

MEINE TIPPS FÜR SIE

Wohin im Urlaub?

➤ Kaninchen sollten möglichst nicht auf Reisen gehen: Autofahrten, Orts- und Klimawechsel setzen sie unter starken Stress.

➤ Kümmern Sie sich rechtzeitig um eine Urlaubsbetreuung. Der Betreuer sollte Erfahrung im Umgang mit Kaninchen haben.

➤ Fütterungs- und Pflegeanweisungen erleichtern die Betreuung. Notieren Sie Ihre Urlaubsadresse und die Telefonnummer des Tierarztes (→ Steckbrief, Seite 62).

➤ Auch Zoofachhandlungen und Tierpensionen nehmen Ihre Kaninchen in Pflege. Informieren Sie sich vorher über Unterbringung und Betreuung.

➤ Falls Sie Ihre Kaninchen doch einmal mitnehmen müssen: Für Auslandsreisen sind Impfungen und Gesundheitszeugnisse erforderlich. Auskünfte erteilen die Konsulate der einzelnen Reiseländer.

47

Beschäftigungs-Programm

Urlaub auf dem Balkon

Der Aufenthalt im Freien regt die Sinne an, die Bewegung an der frischen Luft stärkt Herz und Kreislauf. Selbst ein kleiner Balkon kann für Kaninchen schon zum gelobten Land werden. Die wich-

Verdammen Sie daher Ihre Tiere bitte niemals zu einem Ganzjahresleben auf dem Balkon, weil sie in der Wohnung stören. Balkon bedeutet für die Kaninchen Urlaub und Abwechslung und steht ausschließlich für ein erweitertes Freizeit- und Aktivitätsprogramm.

So funktioniert es

So stellen Sie sicher, dass sich Ihre Kaninchen auf dem Balkon richtig wohl fühlen:

➤ Tiere, die bisher ausschließlich in der Wohnung gehalten wurden, müssen behutsam akklimatisiert werden. Erst im Frühjahr, wenn auch nachts die Temperatu-

ren nicht mehr unter 12 °C sinken, können die Kaninchen nach draußen gesetzt werden.

➤ Besonders gut eignet sich ein Balkon, der nach Osten, Südosten oder Südwesten zeigt. Ein Balkon in Südrichtung wird im Sommer schnell zu heiß. Auf der Wetterseite hingegen ist es fast immer zu feucht und zugig.

➤ Kaninchen sind sehr hitzeempfindlich und brauchen unbedingt luftige Schattenplätze. Markise, Sonnenschirm oder eine Holzplatte, die zwischen Wand und Brüstung angebracht wird, sind hier die Mittel der Wahl. Berücksichtigen Sie dabei bitte

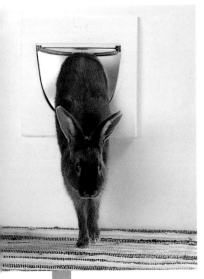

➤ *Schnell lernt das Kaninchen durch die Katzenklappe zu springen.*

tigsten Grundregeln der Balkonhaltung sollten dabei aber beachtet werden. »Aus den Augen, aus dem Sinn« ist auf jeden Fall das falsche Motto:

TIPP

Schöner Wohnen auf dem Balkon

➤ Gestalten Sie den Balkon so, dass er sowohl Ihnen als auch den Kaninchen viel Bewegungsfreiheit bietet.

➤ Auch Tiere, die auf dem Balkon oder im Freigehege leben, brauchen ihre täglichen Streicheleinheiten.

➤ Ideal ist eine Gittertür zwischen Wohnung und Balkon. So sind Sie mit den Kaninchen immer in Sichtkontakt.

➤ Mit einer Katzenklappe in der Balkontür können die Kaninchen je nach Lust und Laune vom Balkon ins vertraute Wohnungsrevier wechseln.

auch den wandernden Sonnenstand. Zur Pflichtausstattung gehört natürlich eine genügend große Abdeckung als Schutz vor dem Regen.

➤ Balkone mit betoniertem Estrich oder Bodenfliesen legt man am besten mit Stroh- oder Schilfmatten aus. Diese Naturböden bieten den Kaninchen beim Laufen deutlich mehr Halt als Beton und Fliesen, schützen vor der Bodenkälte und verursachen auch keine gesundheitlichen Probleme, wenn sie einmal angeknabbert werden sollten.

Klein-Balkonien unterm Schirm: Buddel-Luxus im Pflanzentrog, Wiesengrün, Kuschelkiste und Ruhehocker.

Sicherheit geht vor

➤ Vergessen Sie bitte nicht, dass sich Kaninchen durch schmalste Spalten zwängen und bis zu 1,50 Meter hoch springen können. Ein offenes Balkongitter muss unbedingt verkleidet, eine zu niedrige Brüstung entsprechend erhöht werden. Wichtig ist – besonders bei Unterbringung der Kaninchen auf einem ebenerdigen Balkon – der Schutz vor Mardern, streunenden Hunden und Katzen. Sie müssen deshalb alles mit absolut nagefestem und verzinktem Kaninchendraht (Maschenweite von 17 x 17 mm) absichern.

Die Gestaltung

➤ Zur Grundausstattung jedes Kaninchenbalkons gehören die Wasser- und Futterschüsseln, möglichst zwei wetterfeste Häuschen und natürlich die geliebte Buddel- und Spielkiste, die gleichzeitig auch als Toilette dient.

➤ Der Langweile beugt man vor mit Spielbrücken aus dem Zoofachhandel, Hölzern zum Benagen, unterschiedlich großen Steinen zum Klettern (geeignet sind zum Beispiel Ytong-Steine) und einer mit Heu oder Stroh ausgepolsterten Holzkiste als Kuschelhöhle. Sitzbretter aus Naturholz lassen sich mit Dübeln an der Balkonwand befestigen. Erreicht werden können sie über eine »Hühnerleiter«. Kaninchen lieben solche erhöhten Sitzwarten ganz besonders. Auch kleine Baumstämme geben gute Aussichtsplätze ab. Wenn Sie in einer Mietwohnung auf dem Balkon bauliche Veränderungen vornehmen wollen, sollten Sie zuvor den Eigentümer um Erlaubnis fragen.

➤ Noch mehr Bewegung und Abwechslung bieten Sie Ihren Kaninchen mit den Spieltipps im Kapitel »Spielen und Lernen« (→ Seite 54).

51

Das große Gartenvergnügen

Hubert ist ein ganz besonderes Kaninchen. Täglich begleitet er seine Besitzerin in den Garten, buddelt mit großer Begeisterung Löcher ins Blumenbeet und knabbert an allem, was ihm unter die Nase kommt. Wenn er wieder ins Haus will, kratzt er an der

> Daran gewöhnt, machen Kälte und Schnee Kaninchen nichts aus.

Balkontür. Hubert ist so anhänglich, dass er auf Zuruf fast wie ein Hund folgt und nie wegläuft. Doch Hubert ist die Ausnahme. Denn Kanin-

chen sind nun einmal keine Hunde und in jedem Sommer hört man wieder die traurigen Geschichten von Tieren, die unbeaufsichtigt frei im Garten herumliefen, plötzlich von der Bildfläche verschwanden, nie wieder auftauchten oder später irgendwo tot aufgefunden wurden. Damit der Sommerspaß im Garten nicht böse endet, gibt es nur einen Weg: ein geräumiges, gut strukturiertes Außengehege, das den Tieren nicht nur viel Abwechslung, sondern auch den nötigen Schutz bietet.

Beispiele für Freigehege

➤ Für zwei bis drei Kaninchen beträgt die Grundfläche des Freigeheges mindestens sechs Quadratmeter.
➤ Stellen Sie das Gehege nahe beim Haus mit Sichtkontakt auf.
➤ Ein Baum eignet sich als natürlicher Schattenspender. Ansonsten muss ein Zeltdach über dem Gehege für Sonnenschutz sorgen.
➤ Versetzbare Gehege, ob selbst gebaut oder aus dem Zoofachhandel, haben den

Vorteil, dass man diese auf immer neue, frische Grünflächen versetzen kann. Nachteil: nur für stundenweisen Aufenthalt unter Aufsicht geeignet, da nicht ein- und ausbruchsicher.
➤ Fest installierte Außengehege, die eine dauerhafte Unterbringung ermöglichen, müssen ganz besondere Sicherheitsanforderungen erfüllen. Füchse, Marder, Katzen und Hunde können in das Gehege einbrechen und die wehrlosen Kaninchen töten: Deshalb müssen sowohl Seitenwände, als auch die Sicherung oben absolut stabil gebaut, fest verankert und mit rostfreiem Stahlgitter (Maschenweite 17 x 17 mm) gesichert werden. Das Durchgraben verhindert ein 50 cm tief im Boden versenktes Gitter (Maschenweite 40 x 40 mm), das mit den Seitenelementen verbunden wird.
➤ Bei festen Gehegen verhindert eine Drainage, dass der Bodengrund verschlammt.
➤ An mehreren Stellen im Gehege sorgen Sand, Rindenmulch, Kies, Erde und Gras

> *Wenn auch nur unter Aufsicht für Stunden, bietet das interessant eingerichtete Freigehege, Frischluft und Abwechslung.*

bei der Buddeltruppe für Begeisterung und sind eine willkommene Abwechslung.

Die Schutzhütte

In das fest installierte Außengehege gehört ein Häuschen, das den Kaninchen Schutz vor Wind, Nässe und Kälte bietet. Die dauerhafte Unterbringung in einem konventionellen geschlossenen Stall hingegen stellt in meinen Augen keine artgerechte Haltung für Kaninchen dar.

➤ Gebaut wird die Schutzhütte aus wetterfesten 20 mm starken Kieferplatten AW 100 (Baumarkt). Die Grundfläche der Wohnung sollte allen Kaninchen Platz bieten.

➤ Zum Schutz vor Nässe stellt man das Häuschen auf 30 bis 40 cm hohe Vierkanthölzer. Zum Eingang führt ein Kletterbrett mit aufgeschraubten Rundhölzern.

➤ Die Frontseite mit dem Einschlupfloch sollte nach Osten oder Südosten zeigen.

➤ Ein mit Dachpappe verkleidetes Giebeldach schützt vor Aufheizung im Sommer. An allen Seiten soweit vorziehen, dass der Regen gut abfließen kann, und man an der Frontseite eine vorgebaute Veranda überdachen kann.

CHECKLISTE

Einrichtung zum Wohlfühlen

Höhlen und Röhren

✔ Die wetterfeste Hütte gehört zur Grundausstattung des Außengeheges. Zusätzlich hohle Baumstämme, Röhren und gegeneinander gestellte Dachpfannen als Unterschlupf anbieten.

Buddelplätze

✔ Erd- und Sandhaufen animieren zum Buddeln.

Hochsitze

✔ Steine und kleine Baumstämme sind ideale Aussichtsplattformen.

Regenschutz

✔ Die Futterstelle ist durch Holzboden und Giebeldach vor Nässe geschützt.

Spielen und Lernen

Verhalten ist das Resultat von genetischen Einflüssen und Erproben. Alle Tiere lernen ein Leben lang und vor allem Fluchttiere wie das Kaninchen müssen sich erinnern können, sonst würden sie im Magen eines hungrigen Raubtieres landen. Durch Erfahrungen lernen sie zwischen positiven und negativen oder gar gefährlichen

Verhaltensweisen zu unterscheiden. Bei den Kaninchen sollte ein spielerisches Lerntraining immer auf den arttypischen Verhaltensmustern aufbauen. Mit Leckerbissen, Lob und Streicheln motiviert man seine Spielpartner und erzielt so auch die besten Lernerfolge. Die regelmäßige Beschäftigung schützt darüber hinaus vor Langeweile und Bewegungsmangel.

Männchen machen

Halten Sie Ihrem Kaninchen ein Löwenzahnblatt oder einen Petersilienstängel hin. Zu Anfang nur wenige Zentimeter über dem Boden, erst wenn es daran knabbert, führt man den Leckerbissen nach oben. Aber bitte unbedingt ganz langsam, damit der Trainingspartner nicht das Interesse an der Sache verliert oder gar nach hinten fällt. Schließlich verknüpft man die Übung mit dem Hochheben der anderen Hand und dem Kommando »Komm hoch!«. Trainieren Sie zwei- bis dreimal täglich, bis der Schüler alleine auf Ihr

> Leichter lernt sich's mit Leckerbissen. Später klappt's auf Kommando.

1 Hallo hier bin ich

Eine Decke oder ein Tuch über den Stuhl gehängt, bietet eine willkommene Abwechslung für das Wohnungskaninchen. Hier kann man rein- und rausschlüpfen und sich herrlich darunter verstecken. Es empfiehlt sich jedoch, eine Decke zu verwenden, die von den Tieren auch mal angeknabbert oder aufgekratzt werden darf.

2 Raus und rein

Kartons jeder Größe, ob in Luxusausführung wie hier oder aus einfacher, brauner Pappe, sind äußerst beliebt. Sie sind wunderbare Verstecke und Aussichtsplätze, man kann an ihnen knabbern, darin kratzen und sie durch das Zimmer stupsen. Mit Heu gefüllt zum Kuscheln oder Leckerbissen darin versteckt, ist die Krönung.

Kommando und Handzeichen hin Männchen macht. Den Leckerbissen zur Belohnung gibt's danach natürlich trotzdem! Beim hungrigen Tier stellt sich ein Übungserfolg schneller ein.

Fitness-Training

In England absolvieren Kaninchen fast wie Hunde gemeinsam mit ihren Besitzern einen Agility-Parcours: Sie springen über Hürden, hoppeln durch Tunnel und über Wippen. Offensichtlich haben sie Spaß dabei, denn niemand drängt oder nötigt sie. So viel Sportsgeist müssen Ihre Kaninchen nicht unbedingt entwickeln, ein einfaches Hürdentraining in der Wohnung hält sie auch fit. Startphase im Zimmerkäfig: Ein 10 cm hohes Naturholzbrett teilt den Käfig und muss immer wieder übersprungen werden. Training bei Freilauf: Hürde so aufbauen, dass sie von den Kaninchen nicht umlaufen werden kann. Mit »Hopp!« und Leckerbissen zum Sprung animieren. Mit niedrigem Hindernis beginnen, langsam auf maximal 25 cm erhöhen.

Solo-Spiele

Auch wenn Sie selbst keine Zeit zum Mitspielen haben, sollten sich Ihre Kaninchen beschäftigen. Beliebt sind Kartons (→ Foto oben). Ebenfalls ganz vorne bei den Lieblingsspielen stehen: Holzspielzeug für Kleinkinder, kleine Apportierhölzer für Hunde, Gitterball mit Glocke, Snack Ball (→ Seite 56), aber auch simple Toilettenrollen und Papierknäuel. Leckerbissen, die an einer Kordel aufgehängt werden, sorgen für Fitness und Spaß bei der Futtersuche.

Fragen zum Spielen und Lernen

? Ich möchte für meine drei Kaninchen im Garten ein Freigehege einrichten. Brauche ich dazu die Erlaubnis des Hausbesitzers? Wenn es sich dabei um ein kleineres, versetzbares Freigehege handelt, ist dies nicht erforderlich. Bei einem fest installierten Außengehege für die Dauerhaltung allerdings handelt es sich meistens um eine bauliche Maßnahme, weil man dazu auch Pfosten einbetonieren und Zäune ziehen muss. Das stellt einen deutlichen Eingriff in die gesamte Gartenlandschaft dar und den darf man natürlich nicht ohne das schriftliche Einverständnis des Hausbesitzers vornehmen.

? Mein Kaninchen ist vom Snack Ball unserer Katze begeistert. Der hat eine Öffnung, aus dem Leckerbissen herauskullern. Die haben es ihm natürlich angetan. Ist das Spiel okay? Aber unbedingt! Nur sollten Sie Ihrem Kaninchen einen eigenen Snack Ball gönnen und ihn mit Leckerlis füllen. Den Snack Ball gibt es im Zoofachhandel. Befüllen kann man ihn zum Beispiel mit gewürfelten Möhren oder Grünrollis. Anstupsen, Kicken und Hochwerfen von Bällen ist die ganz große Leidenschaft vieler Kaninchen.

? Ich habe meinen Kaninchen ein paar Tricks beigebracht, doch sie verlieren schnell das Interesse daran. Woran liegt das? Kaninchen sind keine Ausdauerspieler wie zum Beispiel Hunde, die beim zehnten Mal noch immer begeistert dem geworfenen Ball hinterherjagen. Kaninchen verlieren meist schon nach zwei bis drei Übungen ihr Interesse. Sie lassen sich irgendwann auch von den leckersten Motivationshilfen nicht mehr verführen. Der Spaß bestimmt die Spieldauer. Das stellt auch sicher, dass die Tiere nicht überfordert werden. Zwischendurch Pause oder Streicheln nicht vergessen.

Hannibal hat den Bogen raus. Der Snack Ball ist mit Leckerbissen gefüllt.

? Worauf müssen meine Kinder beim Spiel mit den Kaninchen achten?

Vor allem auf Geduld, Zurückhaltung und mehr Beobachten. So schwer es fällt, auch bei einem gelungenen Trick, den das Kind der Schulfreundin vorführt, Freudenschreie und übermütiges Herumhüpfen können selbst ein zutrauliches Kainchen panikartig unters Sofa flüchten lassen. Als Eltern sollten Sie Ihren Kindern erklären, dass Kaninchen Fluchttiere sind, deren Verhaltensweisen sich von denen einer Katze oder des Familienhundes stark unterscheiden.

? Wir haben den Kaninchen ein Gehege mit vier Gitterelementen im Fachhandel gekauft. Doch sie hocken im Häuschen und scheinen den Auslauf nicht zu genießen. Was läuft falsch?

Irgendetwas scheint Ihre Kaninchen zu verängstigen. Gibt es im Gehege Unterschlupfmöglichkeiten oder herrscht nur gähnende Leere? Wichtig ist auch der Standort: Das Gehege darf nicht mitten auf der Wiese stehen, wo die Tiere sich durch vorbeifliegende Greifvögel bedroht fühlen. Versetzen Sie es unter einen Baum oder neben eine Buschreihe und bieten Sie den Kaninchen Baumhöhlen, Röhren und Holzhäuschen als Verstecke an. Damit der »Babylaufstall« zum Kaninchengehege wird, sollten Sie ihn durch mindestens vier zusätzliche Gitterelemente erweitern. Sonst ist das vermeintliche Gartenvergnügen für die Kaninchen nur Stress (→ Foto, Seite 53).

? Ich habe gelesen, dass man mit Kaninchen nicht spielen kann. Ist das richtig?

Im Vergleich zu Hund und Katze würden sie als Spielpartner sicherlich schlechter abschneiden. Trotzdem mögen zutrauliche Hauskaninchen es, wenn man sich mit ihnen beschäftigt. Da sie die Fähigkeit besitzen sich zu erinnern, merken sie sich z. B. eingeübte Fitnessübungen und Tricks, wenn sie danach mit einem Leckerbissen belohnt werden. Mein Hannibal spielt mit mir Papierball, indem er ihn mir zurückstupst oder mit dem Maul hochwirft, während Velvet es liebt einem alten Handtuch nachzuhoppeln.

MEINE TIPPS FÜR SIE

Monika Wegler

Mein Kaninchen ist weg! Was tun?

➤ Kann sich das Kaninchen erschreckt haben? Etwa durch Nachbars Hund, eine Polizeisirene oder den Lärm eines Düsenjägers?

➤ Wo haben Sie es zuletzt gesehen? In Panik geratene Tiere suchen fast immer die nächstmögliche Deckung auf. Inspizieren Sie Büsche, Hecken und Schuppen der näheren Umgebung.

➤ Ihre Nachbarn halten sicher gerne die Augen offen. Beschreiben Sie ihnen das Kaninchen möglichst genau oder zeigen Sie ein Foto herum. Bitten Sie die Hundebesitzer, ihre Tiere vorübergehend nur an der Leine auszuführen.

➤ Kaninchen sind reviertreu. Ist das entlaufene Tier nicht verletzt, kommt es oft in der Dämmerung zurück.

➤ Der vertraute Stall bzw. die Wohnung müssen zugänglich bleiben. Zusätzlich sollten Sie die vertraute Transportbox mit Futter am Fluchtort aufstellen.

Adressen

Verbände/Vereine

➤ Bundesarbeitsgruppe Kleinsäuger e. V., Binzer Str. 14, D-04207 Leipzig, www.bag-kleinsaeuger.de

➤ Rassezuchtverband Österreichischer Kleintierzüchter (RÖK), Geschäftsstelle: Mollgasse 11, A-1180 Wien, www.kleintierzucht-roek.at

➤ Schweizerischer Rassekaninchenzucht-Verband (SRKV), c/o A. Wyss, Sonnenau 125a, CH-9108 Gonten, www.sgk.org

AN UNSERE LESER

➤ Aus Tierschutzgründen habe ich in diesem Ratgeber bewusst das Thema Zucht nicht behandelt, da gerade die größeren Kaninchen kaum Liebhaber finden.

➤ Unterstützen auch Sie den Aufruf zur artgerechteren Haltung der 16 Millionen Mastkaninchen in Deutschland, die unter schlimmsten Bedingungen gehalten werden. Näheres unter: www.tierschutzbund.de oder bei jedem Tierheim.

Kaninchen im Internet

Praxistipps und Informationen zu Pflege, Ernährung und Gesundheit von Kaninchen, Buchtipps, Adressen von Vereinen und Clubs finden Sie auf diesen Internetseiten:

➤ www.kaninchen-online.de
➤ www.kaninchenweb.de
➤ www.kaninchenzucht.de
➤ www.rabbit.org (engl.)

Fragen zur Haltung beantworten

Ihr Zoofachhändler und der Zentralverband Zoologischer Fachbetriebe Deutschlands e. V. (ZZF), Tel.: 06 11/ 44 75 53 32 (nur telef. Auskunft möglich: Mo 12-16 Uhr, Do 8-12 Uhr), www.zzf.de

Bücher

Umfassender Wegweiser mit vollständigem Verzeichnis der Landesverbände, Spezialclubs und Ausstellungen:

➤ Das Blaue Jahrbuch. Verlagshaus Oertel + Spörer, Reutlingen

Mit vielen Praxistipps für Verhaltensprobleme:

➤ McBride, A.: Why does my Rabbit …? Souvenir Press, London (engl.)

Mit guten Infos für die Haltung im Außengehege:

➤ Morgenegg, R.: Artgerechte Haltung – ein Grundrecht auch für (Zwerg-) Kaninchen. Kik-Verlag, CH-Berg

Mit vielen Beispielen für Spiel und Beschäftigung:

➤ Wegler, M.: Mein Zwergkaninchen und ich. Gräfe und Unzer Verlag, München

Wissenswertes über Zwergkaninchen und Aufzucht:

➤ Wegler, M.: Mein Heimtier – Das Zwergkaninchen. Gräfe und Unzer Verlag, München

➤ Wegler, M.: Zwergkaninchen. Gräfe und Unzer Verlag, München

Zeitschriften

➤ Kaninchenzeitung. Hobby- und Kleintierzüchter Verlagsgesellschaft, Berlin

➤ Kaninchen. Deutscher Bauernverlag, Berlin

Dank

Großraumkäfig S. 15 und Freigehege S. 53 wurden von Firma Wagner & Keller, Freiberg/Neckar, freundlicherweise zur Verfügung gestellt.

Autorin und Fotografin

Monika Wegler arbeitet seit 20 Jahren als selbstständige Tierfotografin und Autorin in München. Sie hat viele sehr erfolgreiche Ratgeber illustriert und auch selbst geschrieben. Neben der Bucharbeit ist sie bekannt geworden durch ihre Kalender und Veröffentlichungen in Zeitschriften und Werbung. Frau Wegler stellt an ihre Arbeit stets hohe Ansprüche. Für sie ist es selbstverständlich ihre sieben Katzen und zwei Kaninchen, mit denen sie zusammenlebt, als ihre Freunde zu betrachten. Ebenso unterstützt sie seit Jahren viele Tierhilfsorganisationen vor Ort durch ihr zeitliches und finanzielles Engagement.

❯ GU-Experten-Service

Haben Sie Fragen zu Haltung und Pflege? Dann schreiben Sie uns (bitte Adresse angeben). Unsere Experten helfen Ihnen gern weiter. Unsere Adresse finden Sie rechts.

Impressum

© 2002 GRÄFE UND UNZER VERLAG GmbH, München. Alle Rechte vorbehalten. Nachdruck, auch auszugsweise, sowie Verbreitung durch Bild, Funk, Fernsehen und Internet, durch fotomechanische Wiedergabe, Tonträger und Datenverarbeitungssysteme jeder Art nur mit schriftlicher Genehmigung des Verlages.
Redaktion: Sibylle Kolb
Lektorat: Dr. Gerd Ludwig
Layout: independent Medien-Design, München
Satz: Uhl + Massopust, Aalen
Produktion: Petra Roth
Repro: Fotolito Longo, Bozen
Druck und Bindung: Kaufmann, Lahr
Aktualisierte Nachauflage der 3. Auflage.
Printed in Germany
ISBN 978-3-7742-5586-9
6. Auflage 2007

Ein Unternehmen der
GANSKE VERLAGSGRUPPE

Das Original mit Garantie

Ihre Meinung ist uns wichtig. Deshalb möchten wir Ihre Kritik, gerne aber auch Ihr Lob erfahren. Um als führender Ratgeberverlag für Sie noch besser zu werden. Darum: Schreiben Sie uns! Wir freuen uns auf Ihre Post und wünschen Ihnen viel Spaß mit Ihrem GU-Ratgeber.

Unsere Garantie: Sollte ein GU-Ratgeber einmal einen Fehler enthalten, schicken Sie uns das Buch mit einem kleinen Hinweis und der Quittung innerhalb von sechs Monaten nach dem Kauf zurück. Wir tauschen Ihnen den GU-Ratgeber gegen einen anderen zum gleichen oder ähnlichen Thema um.

GRÄFE UND UNZER VERLAG
Redaktion Haus & Garten
Stichwort: Tierratgeber
Postfach 86 03 25
81630 München
Fax: 0 89/41 98 1-1 13
E-Mail:
leserservice@
graefe-und-unzer.de

Meine Kaninchen

➤ **Namen:** _____

So füttere ich sie:

_____

_____

_____

Lieblingsspiele und Spielzeug:

_____

_____

_____

So wollen sie gepflegt werden:

_____

_____

_____

Das sind ihre Eigenheiten:

_____

_____

_____

Besondere Kennzeichen:

_____

_____

_____

Das ist ihr Tierarzt:

_____

_____

GESELLSCHAFTSTIER

Kaninchen brauchen Kaninchen: Nur in der Gemeinschaft zeigen sie ihr ganzes **Verhaltensrepertoire:** aneinander kuscheln, soziale Fellpflege, gemeinsames Spiel und Verständigung im Nasen-Schnupper-Kontakt. Starten Sie mit mindestens **zwei Kaninchen.**

Wohlfühl-Garantie für Kaninchen

SPORT UND SPIEL

Kaninchen ein interessantes Leben bieten, macht sie auch für uns interessanter. Ein abwechslungsreiches Umfeld, regelmäßiges **Lern- und Spieltraining** und die **Zuwendung** des Menschen sind die Basis für eine lebendige Partnerschaft.

NUR KEIN STRESS

Hektische Bewegungen und Lärm versetzen Kaninchen ebenso in Stress und Panik wie plötzliche Veränderungen und unüberschaubare Situationen. Sie brauchen die **vertraute Umgebung** und einen freundlichen und **ausgeglichenen Besitzer.**

FREIZEIT DRAUSSEN

Ferien auf dem Balkon und Ausflüge in den Garten tun Körper und Seele gut, sorgen für **frische Luft** und **Bewegung** und neue Eindrücke. Sicherheit hat immer Vorrang: Vorsicht vor zu viel Sonne und Schutz vor Hunden, Katzen und Greifvögeln.